Über dieses Buch Das Märchen der 672. Nacht »ist in zwei Teile
gegliedert: der erste Teil schildert das Leben eines jungen, reichen
und schönen Kaufmannssohnes, der die Eltern verloren und sich
vom Umgang mit anderen Menschen zurückgezogen hat, um als mystischer Ästhet sich der Betrachtung der schönen Dinge zu widmen,
mit denen er sich umgeben hat, und der doch ein Gefühl der Leere
nicht unterdrücken kann. Er denkt oft an seinen Tod, den er in romantischer Weise als die höchste Erfüllung seines Lebens sieht ... Im
zweiten Teil wird der Kaufmannssohn aus seiner Zurückgezogenheit
heraus auf einen veschlungenen Pfad zu einem gemeinen Tod gelockt;
alle Ereignisse sind in einer unheilvollen, traumhaften, unerbittlichen
Logik miteinander verbunden.« (Margaret Jacobs)
Reitergeschichte/Das Erlebnis des Marschalls von Bassompierre:
»Warum muß der Wachtmeister Anton Lerch sterben? Warum muß
er so sterben? Nicht den Tod, auf den er vorbereitet ist, einen glorreichen Heldentod im Gefecht, sondern niedergeschossen wie ein
Hund von der Hand seines eigenen Kommandeurs, einen schimpflichen und unnützen, einen empörenden Tod? ... Dies alles ›bleibt im
Zweifel‹ ... Der Erzähler verweigert, wie jeden Ausdruck der Anteilnahme, so auch jede Interpretation. – Vieles ist anders in der Liebesgeschichte als in der Soldatengeschichte. Sie spielt nicht in einer offenen Landschaft, sondern in den Straßen und Häusern der Stadt, nicht
bei Tage, sondern fast nur bei Nacht. Damit wird aber noch verstärkt, was das Gemeinsame zwischen den beiden Geschichten ist:
das Rätselhafte des Geschehens und das Gefühl der Unsicherheit, das
es auslöst. Gemeinsam aber ist beiden vor allem der Einbruch einer
dunklen und tödlichen Macht in ein geordnetes Leben.«

Der Autor Hugo von Hofmannsthal wurde am 1. 2. 1874 in Wien
geboren. Er studierte Jura und Romanistik. Zahlreiche Reisen in die
Mittelmeerländer wirkten auf sein Werk; eine dauernde Schaffensge-
meinschaft verband Hofmannsthal mit Richard Strauss. Am 15. 7.
1929 starb er in Rodaun.
In seinen großen Dramen, Lustspielen und Opern, die nach 1900
entstanden, verstand er sich als Dichter des Sozialen. Er kannte das
Volk und schrieb für das Volk. Aus dieser Einstellung entstanden sein
wohl bekanntestes Drama ›Jedermann‹ und – in Zusammenarbeit mit
Richard Strauss – ›Der Rosenkavalier‹. Im Fischer Taschenbuch Verlag liegen außerdem vor: ›Deutsches Lesebuch. Eine Auswahl deutscher Prosa aus dem Jahrhundert 1750 – 1850‹ (Bd. 1930); ›Gesammelte Werke in zehn Einzelbänden‹ (Bd. 2159–2168); ›Jedermann.
Das Spiel vom Sterben des reichen Mannes‹ (Bd. 7021); ›Der Schwie-
rige‹ (Bd. 7111); ›Der Unbestechliche‹ (Bd. 7112). Ferner: Hugo von
Hofmannsthal – Arthur Schnitzler ›Briefwechsel‹ (Bd. 2535).

Hugo von Hofmannsthal

Das Märchen der 672. Nacht

Reitergeschichte

Das Erlebnis des Marschalls von Bassompierre

Fischer
Taschenbuch
Verlag

79.–81. Tausend: März 1990

Veröffentlicht im Fischer Taschenbuch Verlag GmbH,
Frankfurt am Main, April 1973

Lizenzausgabe mit freundlicher Genehmigung
des S. Fischer Verlages, Frankfurt am Main
© 1957 bei S. Fischer Verlag GmbH, Frankfurt am Main
Die Texte wurden folgender Ausgabe entnommen:
Hugo von Hofmannsthal, Ausgewählte Werke in zwei Bänden,
hrsg. von Rudolf Hirsch, Frankfurt am Main 1957, Bd. II
Umschlaggestaltung: Buchholz / Hinsch / Hensinger
Umschlagabbildung: Edouard Vuillard, Garden in Vaucresson
(Detail)
© VGBild-Kunst, Bonn, 1990
Druck und Bindung: Clausen & Bosse, Leck
Printed in Germany
ISBN 3-596-21357-6

Inhalt

Das Märchen der 672. Nacht

I

Ein junger Kaufmannssohn, der sehr schön war und weder Vater noch Mutter hatte, wurde bald nach seinem fünfundzwanzigsten Jahre der Geselligkeit und des gastlichen Lebens überdrüssig. Er versperrte die meisten Zimmer seines Hauses und entließ alle seine Diener und Dienerinnen, bis auf vier, deren Anhänglichkeit und ganzes Wesen ihm lieb war. Da ihm an seinen Freunden nichts gelegen war und auch die Schönheit keiner einzigen Frau ihn so gefangennahm, daß er es sich als wünschenswert oder nur als erträglich vorgestellt hätte, sie immer um sich zu haben, lebte er sich immer mehr in ein ziemlich einsames Leben hinein, welches anscheinend seiner Gemütsart am meisten entsprach. Er war aber keineswegs menschenscheu, vielmehr ging er gerne in den Straßen oder öffentlichen Gärten spazieren und betrachtete die Gesichter der Menschen. Auch vernachlässigte er weder die Pflege seines Körpers und seiner schönen Hände noch den Schmuck seiner Wohnung. Ja, die Schönheit der Teppiche und Gewebe und Seiden, der geschnitzten und getäfelten Wände, der Leuchter und Becken aus Metall, der gläsernen und irdenen Gefäße wurde ihm so bedeutungsvoll, wie er es nie geahnt hatte. Allmählich wurde er sehend dafür, wie alle Formen und Farben der Welt in seinen Geräten leben. Er erkannte in den Ornamenten, die sich verschlingen, ein verzaubertes Bild der verschlungenen Wunder der Welt. Er fand die Formen der Tiere und die Formen der Blumen und das Übergehen der

Blumen in die Tiere; die Delphine, die Löwen und die Tulpen, die Perlen und den Akanthus; er fand den Streit zwischen der Last der Säule und dem Widerstand des festen Grundes und das Streben alles Wassers nach aufwärts und wiederum nach abwärts; er fand die Seligkeit der Bewegung und die Erhabenheit der Ruhe, das Tanzen und das Totsein; er fand die Farben der Blumen und Blätter, die Farben der Felle wilder Tiere und der Gesichter der Völker, die Farbe der Edelsteine, die Farbe des stürmischen und des ruhig leuchtenden Meeres; ja, er fand den Mond und die Sterne, die mystische Kugel, die mystischen Ringe und an ihnen festgewachsen die Flügel der Seraphim. Er war für lange Zeit trunken von dieser großen, tiefsinnigen Schönheit, die ihm gehörte, und alle seine Tage bewegten sich schöner und minder leer unter diesen Geräten, die nichts Totes und Niedriges mehr waren, sondern ein großes Erbe, das göttliche Werk aller Geschlechter.

Doch er fühlte ebenso die Nichtigkeit aller dieser Dinge wie ihre Schönheit; nie verließ ihn auf lange der Gedanke an den Tod, und oft befiel er ihn unter lachenden und lärmenden Menschen, oft in der Nacht, oft beim Essen.

Aber da keine Krankheit in ihm war, so war der Gedanke nicht grauenhaft, eher hatte er etwas Feierliches und Prunkendes und kam gerade am stärksten, wenn er sich am Denken schöner Gedanken oder an der Schönheit seiner Jugend und Einsamkeit berauschte. Denn oft schöpfte der Kaufmannssohn einen großen Stolz aus dem Spiegel, aus den Versen der Dichter, aus seinem Reichtum und seiner Klugheit, und die finsteren Sprichwörter drückten nicht auf seine Seele. Er sagte: »Wo du sterben sollst, dahin tragen dich deine Füße«, und sah sich schön, wie ein auf der Jagd verirrter König, in einem unbekannten Wald unter seltsamen Bäumen einem fremden wunderbaren Geschick entgegengehen. Er sagte: »Wenn das

Haus fertig ist, kommt der Tod«, und sah jenen langsam heraufkommen über die von geflügelten Löwen getragene Brücke des Palastes, des fertigen Hauses, angefüllt mit der wundervollen Beute des Lebens.

Er wähnte, völlig einsam zu leben, aber seine vier Diener umkreisten ihn wie Hunde, und obwohl er wenig mit ihnen redete, fühlte er doch irgendwie, daß sie unausgesetzt daran dachten, ihm gut zu dienen. Auch fing er an, hie und da über sie nachzudenken.

Die Haushälterin war eine alte Frau; ihre verstorbene Tochter war des Kaufmannssohnes Amme gewesen; auch alle ihre anderen Kinder waren gestorben. Sie war sehr still, und die Kühle des Alters ging von ihrem weißen Gesicht und ihren weißen Händen aus. Aber er hatte sie gern, weil sie immer im Hause gewesen war und weil die Erinnerung an die Stimme seiner eigenen Mutter und an seine Kindheit, die er sehnsüchtig liebte, mit ihr herumging.

Sie hatte mit seiner Erlaubnis eine entfernte Verwandte ins Haus genommen, die kaum fünfzehn Jahre alt war, diese war sehr verschlossen. Sie war hart gegen sich und schwer zu verstehen. Einmal warf sie sich in einer dunklen und jähen Regung ihrer zornigen Seele aus einem Fenster in den Hof, fiel aber mit dem kinderhaften Leib in zufällig aufgeschüttete Gartenerde, so daß ihr nur ein Schlüsselbein brach, weil dort ein Stein in der Erde gesteckt hatte. Als man sie in ihr Bett gelegt hatte, schickte der Kaufmannssohn seinen Arzt zu ihr; am Abend aber kam er selber und wollte sehen, wie es ihr ginge. Sie hielt die Augen geschlossen, und er sah sie zum ersten Male lange ruhig an und war erstaunt über die seltsame und altkluge Anmut ihres Gesichtes. Nur ihre Lippen waren sehr dünn, und darin lag etwas Unschönes und Unheimliches. Plötzlich schlug sie die Augen auf, sah ihn eisig und bös an und drehte sich mit zornig zusammengebissenen Lippen, den Schmerz überwindend, gegen die Wand, so daß sie auf die verwundete Seite zu liegen kam. Im Augenblick verfärbte sich ihr totenblasses Gesicht ins Grünlichweiße, sie wurde ohnmächtig und fiel wie tot in ihre frühere Lage zurück.

Als sie wieder gesund war, redete der Kaufmannssohn sie durch lange Zeit nicht an, wenn sie ihm begegnete. Ein paarmal fragte er die alte Frau, ob das Mädchen ungern in seinem Hause wäre, aber diese verneinte es immer. Den einzigen Diener, den er sich entschlossen hatte, in seinem Hause zu behalten, hatte er kennengelernt, als er einmal bei dem Gesandten, den der König von Persien in dieser Stadt unterhielt, zu Abend speiste. Da bediente ihn dieser und war von einer solchen Zuvorkommenheit und Umsicht und schien gleichzeitig von so großer Eingezogenheit und Bescheidenheit, daß der Kaufmannssohn mehr Gefallen daran fand, ihn zu beobachten, als auf die Reden der übrigen Gäste zu hören. Um so größer war seine Freude, als viele Monate später dieser Diener auf der Straße auf ihn zutrat, ihn mit demselben tiefen Ernst, wie an jenem Abend, und ohne alle Aufdringlichkeit grüßte und ihm seine Dienste anbot. Sogleich erkannte ihn der Kaufmannssohn an seinem düsteren, maulbeerfarbigen Gesicht und an seiner großen Wohlerzogenheit. Er nahm ihn augenblicklich in seinen Dienst, entließ zwei junge Diener, die er noch bei sich hatte, und ließ sich fortan beim Speisen und sonst nur von diesem ernsten und zurückhaltenden Menschen bedienen. Dieser Mensch machte fast nie von der Erlaubnis Gebrauch, in den Abendstunden das Haus zu verlassen. Er zeigte eine seltene Anhänglichkeit an seinen Herrn, dessen Wünschen er zuvorkam und dessen Neigungen und Abneigungen er schweigend erriet, so daß auch dieser eine immer größere Zuneigung für ihn faßte.

Wenn er sich auch nur von diesem beim Speisen bedienen

ließ, so pflegte die Schüsseln mit Obst und süßem Backwerk doch eine Dienerin aufzutragen, ein junges Mädchen, aber doch um zwei oder drei Jahre älter als die Kleine. Dieses junge Mädchen war von jenen, die man von weitem, oder wenn man sie als Tänzerinnen beim Licht der Fackeln auftreten sieht, kaum für sehr schön gelten ließe, weil da die Feinheit der Züge verloren geht; da er sie aber in der Nähe und täglich sah, ergriff ihn die unvergleichliche Schönheit ihrer Augenlider und ihrer Lippen, und die trägen, freudlosen Bewegungen ihres schönen Leibes waren ihm die rätselhafte Sprache einer verschlossenen und wundervollen Welt.

Wenn in der Stadt die Hitze des Sommers sehr groß wurde und längs der Häuser die dumpfe Glut schwebte und in den schwülen, schweren Vollmondnächten der Wind weiße Staubwolken in den leeren Straßen hintrieb, reiste der Kaufmannssohn mit seinen vier Dienern nach einem Landhaus, das er im Gebirg besaß, in einem engen, von dunklen Bergen umgebenen Tal. Dort lagen viele solche Landhäuser der Reichen. Von beiden Seiten fielen Wasserfälle in die Schluchten herunter und gaben Kühle. Der Mond stand fast immer hinter den Bergen, aber große weiße Wolken stiegen hinter den schwarzen Wänden auf, schwebten feierlich über den dunkelleuchtenden Himmel und verschwanden auf der anderen Seite. Hier lebte der Kaufmannssohn sein gewohntes Leben in einem Haus, dessen hölzerne Wände immer von dem kühlen Duft der Gärten und der vielen Wasserfälle durchstrichen wurden. Am Nachmittag, bis die Sonne hinter den Bergen hinunterfiel, saß er in seinem Garten und las meist in einem Buch, in welchem die Kriege eines sehr großen Königs der Vergangenheit aufgezeichnet waren. Manchmal mußte er mitten in der Beschreibung, wie die Tausende Reiter der feindlichen Könige schreiend ihre Pferde umwenden oder ihre Kriegswagen den steilen Rand eines Flusses hinabgerissen werden, plötzlich innehalten, denn er fühlte, ohne hinzusehen, daß die Augen seiner vier Diener auf ihn geheftet waren. Er wußte, ohne den Kopf zu heben, daß sie ihn ansahen, ohne ein Wort zu reden, jedes aus einem anderen Zimmer. Er kannte sie so gut. Er fühlte sie leben, stärker, eindringlicher, als er sich selbst leben fühlte. Über sich empfand er zuweilen leichte Rührung oder Verwunderung, wegen dieser aber eine rätselhafte Beklemmung. Er fühlte mit der Deutlichkeit eines Alpdrucks, wie die beiden Alten dem Tod entgegenlebten, mit jeder Stunde, mit dem unaufhaltsamen leisen Anderswerden ihrer Züge und ihrer Gebärden, die er so gut kannte und wie die beiden Mädchen in das öde, gleichsam luftlose Leben hineinlebten. Wie das Grauen und die tödliche Bitterkeit eines furchtbaren, beim Erwachen vergessenen Traumes, lag ihm die Schwere ihres Lebens, von der sie selber nichts wußten, in den Gliedern.

Manchmal mußte er aufstehen und umhergehen, um seiner Angst nicht zu unterliegen. Aber während er auf den grellen Kies vor seinen Füßen schaute und mit aller Anstrengung darauf achtete, wie aus dem kühlen Duft von Gras und Erde der Duft der Nelken in hellen Atemzügen zu ihm aufflog und dazwischen in lauen, übermäßig süßen Wolken der Duft der Heliotrope, fühlte er ihre Augen und konnte an nichts anderes denken. Ohne den Kopf zu heben, wußte er, daß die alte Frau an ihrem Fenster saß, die blutlosen Hände auf dem von der Sonne durchglühten Gesims, das blutlose, maskenhafte Gesicht eine immer grauenhaftere Heimstätte für die hilflosen schwarzen Augen, die nicht absterben konnten. Ohne den Kopf zu heben, fühlte er, wenn der Diener für Minuten von seinem Fenster zurücktrat und sich an einem Schrank zu schaffen machte; ohne aufzusehen, erwartete er in heimlicher Angst den Augenblick, wo er wiederkommen werde. Während er mit beiden Händen biegsame Äste hinter sich zurückfallen ließ, um sich in der verwachsensten Ecke des Gartens zu verkriechen, und alle Gedanken auf die Schönheit des Himmels drängte, der in kleinen leuchtenden Stücken von feuchtem Türkis von oben durch das dunkle Genetz von Zweigen und Ranken herunterfiel, bemächtigte sich seines Blutes und seines ganzen Denkens nur das, daß er die Augen der zwei Mädchen auf sich gerichtet wußte, die der Größeren träge und traurig, mit einer unbestimmten, ihn quälenden Forderung, die der Kleineren mit einer ungeduldigen, dann wieder höhnischen Aufmerksamkeit, die ihn noch mehr quälte. Und dabei hatte er nie den Gedanken, daß sie ihn unmittelbar ansahen, ihn, der gerade mit gesenktem Kopfe umherging, oder bei einer Nelke niederkniete, um sie mit Bast zu binden, oder sich unter die Zweige beugte; sondern ihm war, sie sahen sein ganzes Leben an, sein tiefstes Wesen, seine geheimnisvolle menschliche Unzulänglichkeit.

Eine furchtbare Beklemmung kam über ihn, eine tödliche Angst vor der Unentrinnbarkeit des Lebens. Furchtbarer, als daß die ihn unausgesetzt beobachteten, war, daß sie ihn zwangen, in einer unfruchtbaren und so ermüdenden Weise an sich selbst zu denken. Und der Garten war viel zu klein, um ihnen zu entrinnen. Wenn er aber ganz nahe von ihnen war, erlosch seine Angst so völlig, daß er das Vergangene beinahe vergaß. Dann vermochte er es, sie gar nicht zu beachten oder ruhig ihren Bewegungen zuzusehen, die ihm so vertraut waren, daß er aus ihnen eine unaufhörliche, gleichsam körperliche Mitempfindung ihres Lebens empfing.

Das kleine Mädchen begegnete ihm nur hie und da auf der Treppe oder im Vorhaus. Die drei anderen aber waren häufig mit ihm in einem Zimmer. Einmal erblickte er die Größere in einem geneigten Spiegel; sie ging durch ein erhöhtes Nebenzimmer: in dem Spiegel aber kam sie ihm aus der Tiefe entgegen. Sie ging langsam und mit Anstrengung, aber ganz aufrecht: sie trug in jedem Arme eine schwere hagere indische Gottheit aus dunkler Bronze. Die verzierten Füße der Figuren hielt sie in der hohlen Hand, von der Hüfte bis an die Schläfe reichten ihr die dunklen Göttinnen und lehnten mit ihrer toten Schwere an den lebendigen zarten Schultern; die dunklen Köpfe aber mit dem bösen Mund von Schlangen, drei wilden Augen in der Stirn und unheimlichem Schmuck in den kalten, harten Haaren, bewegten sich neben den atmenden Wangen und streiften die schönen Schläfen im Takt der langsamen Schritte. Eigentlich aber schien sie nicht an den Göttinnen schwer und feierlich zu tragen, sondern an der Schönheit ihres eigenen Hauptes mit dem schweren Schmuck aus lebendigem, dunklem Gold, zwei großen gewölbten Schnecken zu beiden Seiten der lichten Stirn, wie eine Königin im Kriege. Er wurde ergriffen von ihrer großen Schönheit, aber gleichzeitig wußte er deutlich, daß es ihm nichts bedeuten würde, sie in seinen Armen zu halten. Er wußte es überhaupt, daß die Schönheit seiner Dienerin ihn mit Sehnsucht, aber nicht mit Verlangen erfüllte, so daß er seine Blicke nicht lange auf ihr ließ, sondern aus dem Zimmer trat, ja auf die Gasse, und mit einer seltsamen Unruhe zwischen den Häusern und Gärten im schmalen Schatten weiterging. Schließlich ging er an das Ufer des Flusses, wo die Gärtner und Blumenhändler wohnten, und suchte lange, obgleich er wußte, daß er vergeblich suchen werde, nach einer Blume, deren Gestalt und Duft, oder nach einem Gewürz, dessen verwehender Hauch ihm für einen Augenblick genau den gleichen süßen Reiz zu ruhigem Besitz geben könnte, welcher in der Schönheit seiner Dienerin lag, die ihn verwirrte und beunruhigte. Und während er ganz vergeblich mit sehnsüchtigen Augen in den dumpfen Glashäusern umherspähte und sich im Freien über die langen Beete beugte, auf denen es schon dunkelte, wiederholte sein

Kopf unwillkürlich, ja schließlich gequält und gegen seinen Willen, immer wieder die Verse des Dichters: »In den Stielen der Nelken, die sich wiegten, im Duft des reifen Kornes erregtest du meine Sehnsucht; aber als ich dich fand, warst du es nicht, die ich gesucht hatte, sondern die Schwester deiner Seele.«

II

In diesen Tagen geschah es, daß ein Brief kam, welcher ihn einigermaßen beunruhigte. Der Brief trug keine Unterschrift. In unklarer Weise beschuldigte der Schreiber den Diener des Kaufmannssohnes, daß er im Hause seines früheren Herrn, des persischen Gesandten, irgendein abscheuliches Verbrechen begangen habe. Der Unbekannte schien einen heftigen Haß gegen den Diener zu hegen und fügte viele Drohungen bei; auch gegen den Kaufmannssohn selbst bediente er sich eines unhöflichen, beinahe drohenden Tones. Aber es war nicht zu erraten, welches Verbrechen angedeutet werde und welchen Zweck überhaupt dieser Brief für den Schreiber, der sich nicht nannte und nichts verlangte, haben könne. Er las den Brief mehrere Male und gestand sich, daß er bei dem Gedanken, seinen Diener auf eine so widerwärtige Weise zu verlieren, eine große Angst empfand. Je mehr er nachdachte, desto erregter wurde er und desto weniger konnte er den Gedanken ertragen, eines dieser Wesen zu verlieren, mit denen er durch die Gewohnheit und andere geheime Mächte völlig zusammengewachsen war.
Er ging auf und ab, die zornige Erregung erhitzte ihn so, daß er seinen Rock und Gürtel abwarf und mit Füßen trat. Es war ihm, als wenn man seinen innersten Besitz beleidigt und bedroht hätte und ihn zwingen wollte, aus sich selber

zu fliehen und zu verleugnen, was ihm lieb war. Er hatte Mitleid mit sich selbst und empfand sich, wie immer in solchen Augenblicken, als ein Kind. Er sah schon seine vier Diener aus seinem Haus gerissen, und es kam ihm vor, als zöge sich lautlos der ganze Inhalt seines Lebens aus ihm, alle schmerzhaftsüßen Erinnerungen, alle halbunbewußten Erwartungen, alles Unsagbare, um irgendwo hingeworfen und für nichts geachtet zu werden, wie ein Bündel Algen und Meertang. Er begriff zum erstenmal, was ihn als Knabe immer zum Zorn gereizt hatte, die angstvolle Liebe, mit der sein Vater an dem hing, was er erworben hatte, an den Reichtümern seines gewölbten Warenhauses, den schönen, gefühllosen Kindern seines Suchens und Sorgens, den geheimnisvollen Ausgeburten der undeutlichen tiefsten Wünsche seines Lebens. Er begriff, daß der große König der Vergangenheit hätte sterben müssen, wenn man ihm seine Länder genommen hätte, die er durchzogen und unterworfen hatte vom Meer im Westen bis zum Meer im Osten, die er zu beherrschen träumte und die doch so unendlich groß waren, daß er keine Macht über sie hatte und keinen Tribut von ihnen empfing als den Gedanken, daß er sie unterworfen hatte und kein anderer als er ihr König war.

Er beschloß, alles zu tun, um diese Sache zur Ruhe zu bringen, die ihn so ängstigte. Ohne dem Diener ein Wort von dem Brief zu sagen, machte er sich auf und fuhr allein nach der Stadt. Dort beschloß er vor allem das Haus aufzusuchen, welches der Gesandte des Königs von Persien bewohnte; denn er hatte die unbestimmte Hoffnung, dort irgendwie einen Anhaltspunkt zu finden.

Als er aber hinkam, war es spät am Nachmittag und niemand mehr zu Hause, weder der Gesandte, noch einer der jungen Leute seiner Begleitung. Nur der Koch und ein alter untergeordneter Schreiber saßen im Torweg im kühlen Halbdunkel. Aber sie waren so häßlich und gaben so kurze, mürrische Antworten, daß er ihnen ungeduldig den Rücken kehrte und sich entschloß, am nächsten Tage zu einer besseren Stunde wiederzukommen.

Da seine eigene Wohnung versperrt war – denn er hatte keinen Diener in der Stadt zurückgelassen –, so mußte er wie ein Fremder daran denken, sich für die Nacht eine Herberge zu suchen. Neugierig, wie ein Fremder, ging er durch die bekannten Straßen und kam endlich an das Ufer eines kleinen Flusses, der zu dieser Jahreszeit fast ausgetrocknet war. Von dort folgte er in Gedanken verloren einer ärmlichen Straße, wo sehr viele öffentliche Dirnen wohnten. Ohne viel auf seinen Weg zu achten, bog er dann rechts ein und kam in eine ganz öde, totenstille Sackgasse, die in einer fast turmhohen, steilen Treppe endigte. Auf der Treppe blieb er stehen und sah zurück auf seinen Weg. Er konnte in die Höfe der kleinen Häuser sehen; hie und da waren rote Vorhänge an den Fenstern und häßliche, verstaubte Blumen; das breite, trockene Bett des Flusses war von einer tödlichen Traurigkeit. Er stieg weiter und kam oben in ein Viertel, das er sich nicht entsinnen konnte, je gesehen zu haben. Trotzdem kam ihm eine Kreuzung niederer Straßen plötzlich traumhaft bekannt vor. Er ging weiter und kam zu dem Laden eines Juweliers. Es war ein sehr ärmlicher Laden, wie er für diesen Teil der Stadt paßte, und das Schaufenster mit solchen wertlosen Schmucksachen angefüllt, wie man sie bei Pfandleihern und Hehlern zusammenkauft. Der Kaufmannssohn, der sich auf Edelsteine sehr gut verstand, konnte kaum einen halbwegs schönen Stein darunter finden.

Plötzlich fiel sein Blick auf einen altmodischen Schmuck aus dünnem Gold, mit einem Beryll verziert, der ihn irgendwie an die alte Frau erinnerte. Wahrscheinlich hatte er ein ähnliches Stück aus der Zeit, wo sie eine junge Frau gewesen war, einmal bei ihr gesehen. Auch schien ihm der blasse, eher melancholische Stein in einer seltsamen Weise zu ihrem Alter und Aussehen zu passen; und die altmodische Fassung war von der gleichen Traurigkeit. So trat er in den niedrigen Laden, um den Schmuck zu kaufen. Der Juwelier war sehr erfreut, einen so gut gekleideten Kunden eintreten zu sehen, und wollte ihm noch seine wertvolleren Steine zeigen, die er nicht ins Schaufenster legte. Aus Höflichkeit gegen den alten Mann ließ er sich vieles zeigen, hatte aber weder Lust, mehr zu kaufen, noch hätte er bei seinem einsamen Leben eine Verwendung für derartige Geschenke gewußt. Endlich wurde er ungeduldig und gleichzeitig verlegen, denn er wollte loskommen und doch den Alten nicht kränken. Er beschloß, noch eine Kleinigkeit zu kaufen und dann sogleich hinauszugehen. Gedankenlos betrachtete er über die Schulter des Juweliers hinwegsehend einen kleinen silbernen Handspiegel, der halb erblindet war. Da kam ihm aus einem anderen Spiegel im Innern das Bild des Mädchens entgegen mit den dunklen Köpfen der ehernen Göttinnen zu beiden Seiten; flüchtig empfand er, daß sehr viel von ihrem Reiz darin lag, wie die Schultern und der Hals in demütiger kindlicher Grazie die Schönheit des Hauptes trugen, des Hauptes einer jungen Königin. Und flüchtig fand er es hübsch, ein dünnes goldenes Kettchen an diesem Hals zu sehen, vielfach herumgeschlungen, kindlich und doch an einen Panzer gemahnend. Und er verlangte, solche Kettchen zu sehen. Der Alte machte eine Tür auf und bat ihn, in einen zweiten Raum zu treten, ein niedriges Wohnzimmer, wo aber auch in Glasschränken und auf offenen Gestellen eine Menge Schmucksachen ausgelegt waren. Hier fand er bald ein Kettchen, das ihm gefiel, und bat den Juwelier, ihm jetzt den Preis der beiden Schmucksachen zu sagen. Der Alte bat ihn noch, die merkwürdigen, mit Halbedelsteinen besetzten Beschläge einiger altertümlichen Sättel in Augenschein zu nehmen, er aber erwiderte, daß er sich als Sohn eines Kaufmannes nie mit Pferden abgegeben habe, ja nicht einmal zu reiten verstehe und weder an alten noch an neuen Sätteln Gefallen finde, bezahlte mit einem Goldstück und einigen Silbermünzen, was er gekauft hatte, und zeigte einige Ungeduld, den Laden zu verlassen. Während der Alte, ohne mehr zu sprechen, ein schönes Seidenpapier hervorsuchte und das Kettchen und den Beryllschmuck, jedes für sich, einwickelte, trat der Kaufmannssohn zufällig an das einzige niedrige vergitterte Fenster und schaute hinaus. Er erblickte einen offenbar zum Nachbarhaus gehörigen, sehr schön gehaltenen Gemüsegarten, dessen Hintergrund durch zwei Glashäuser und eine hohe Mauer gebildet wurde. Er bekam sogleich Lust, diese Glashäuser zu sehen, und fragte den Juwelier, ob er ihm den Weg sagen könne. Der Juwelier händigte ihm seine beiden Päckchen ein und führte ihn durch ein Nebenzimmer in den Hof, der durch eine kleine Gittertür mit dem benachbarten Garten in Verbindung stand. Hier blieb der Juwelier stehen und schlug mit einem eisernen Klöppel an das Gitter. Da es aber im Garten ganz still blieb, sich auch im Nachbarhaus niemand regte, so forderte er den Kaufmannssohn auf, nur ruhig die Treibhäuser zu besichtigen und sich, falls man ihn behelligen würde, auf ihn auszureden, der mit dem Besitzer des Gartens gut bekannt sei. Dann öffnete er ihm mit einem Griff durch die Gitterstäbe. Der Kaufmannssohn ging sogleich längs der Mauer zu dem näheren Glashaus, trat ein und fand eine solche Fülle seltener und merkwürdiger Narzissen und Anemonen und so seltsames, ihm völlig unbekanntes Blattwerk, daß er sich lange nicht sattsehen konnte. Endlich aber schaute er auf und gewahrte, daß die Sonne ganz, ohne daß er es beachtet hatte, hinter den Häusern untergegangen war. Jetzt wollte er nicht länger in einem fremden, unbewachten Garten bleiben, sondern nur von außen einen Blick durch die Scheiben des zweiten Treibhauses werfen und dann fortgehen. Wie er so spähend an den Glaswänden des zweiten langsam vorüberging, erschrak er plötzlich sehr heftig und fuhr zurück. Denn ein Mensch hatte sein Gesicht an den Scheiben und schaute ihn an. Nach einem Augenblick beruhigte er sich und wurde sich bewußt, daß es ein Kind war, ein höchstens vierjähriges, kleines Mädchen, dessen weißes Kleid und blasses Gesicht gegen die Scheiben gedrückt waren. Aber als er jetzt näher hinsah, erschrak er abermals, mit einer unangenehmen Empfindung des Grauens im Nacken und einem leisen Zusammenschnüren in der Kehle und tiefer in der Brust. Denn das Kind, das ihn regungslos und böse ansah, glich in einer unbegreiflichen Weise dem fünfzehnjährigen Mädchen, das er in seinem Hause hatte. Alles war gleich, die lichten Augenbrauen, die feinen bebenden Nasenflügel, die dünnen Lippen; wie die andere zog auch das Kind eine der Schultern etwas in die Höhe. Alles war gleich, nur daß in dem Kind das alles einen Ausdruck gab, der ihm Entsetzen verursachte. Er wußte nicht, wovor er so namenlose Furcht empfand. Er wußte nur, daß er es nicht ertragen werde, sich umzudrehen und zu wissen, daß dieses Gesicht hinter ihm durch die Scheiben starrte.

In seiner Angst ging er sehr schnell auf die Tür des Glashauses zu, um hineinzugehen; die Tür war zu, von außen verriegelt; hastig bückte er sich nach dem Riegel, der sehr tief war, stieß ihn so heftig zurück, daß er sich ein Glied des kleinen Fingers schmerzlich zerrte, und ging, fast laufend, auf das Kind zu. Das Kind ging ihm entgegen, und ohne ein Wort zu reden stemmte es sich gegen seine Knie und suchte mit seinen schwachen kleinen Händen ihn hinauszudrängen. Er hatte Mühe, es nicht zu treten. Aber seine Angst minderte sich in der Nähe. Er beugte sich über das Gesicht des Kindes, das ganz blaß war und dessen Augen vor Zorn und Haß bebten, während die kleinen Zähne des Unterkiefers sich mit unheimlicher Wut in die Oberlippe drückten. Seine Angst verging für einen Augenblick, als er dem Mädchen die kurzen, feinen Haare streichelte. Aber augenblicklich erinnerte er sich an das Haar des Mädchens in seinem Hause, das er einmal berührt hatte, als sie totenblaß, mit geschlossenen Augen, in ihrem Bette lag, und gleich lief ihm wieder ein Schauer den Rücken hinab, und seine Hände fuhren zurück. Sie hatte es aufgegeben, ihn wegdrängen zu wollen. Sie trat ein paar Schritte zurück und schaute gerade vor sich hin. Fast unerträglich wurde ihm der Anblick des schwachen, in einem weißen Kleidchen steckenden Puppenkörpers und des verachtungsvollen, grauenhaften blassen Kindergesichtes. Er war so erfüllt mit Grauen, daß er einen Stich in den Schläfen und in der Kehle empfing, als seine Hand in der Tasche an etwas Kaltes streifte. Es waren ein paar Silbermünzen. Er nahm sie heraus, beugte sich zu dem Kinde nieder und gab sie ihm, weil sie glänzten und klirrten. Das Kind nahm sie und ließ sie ihm vor den Füßen niederfallen, daß sie in einer Spalte des auf einem Rost von Brettern ruhenden Bodens verschwanden. Dann kehrte es ihm den Rücken und ging langsam fort. Eine Weile stand er regungslos und hatte Herzklopfen vor Angst, daß es wiederkommen werde und von außen auf ihn durch die Scheiben schauen. Jetzt hätte er gleich fortgehen mögen, aber es war besser, eine Weile vergehen zu lassen, damit das Kind aus dem Garten fortginge. Jetzt war es in dem Glashause schon nicht mehr ganz hell, und die Formen der Pflanzen fingen an, sonderbar zu werden. In einiger Entfernung traten aus dem Halbdunkel schwarze, sinnlos drohende Zweige unangenehm hervor, und dahinter schimmerte es weiß, als wenn das Kind dort stünde. Auf einem Brette standen in einer Reihe irdene Töpfe mit Wachsblumen. Um eine kleine Zeit zu übertäuben, zählte er die Blüten, die in ihrer

Starre lebendigen Blumen unähnlich waren und etwas von Masken hatten, heimtückischen Masken mit zugewachsenen Augenlöchern. Als er fertig war, ging er zur Türe und wollte hinaus. Die Tür gab nicht nach; das Kind hatte sie von außen verriegelt. Er wollte schreien, aber er fürchtete sich vor seiner eigenen Stimme. Er schlug mit den Fäusten an die Scheiben. Der Garten und das Haus blieben totenstill. Nur hinter ihm glitt etwas raschelnd durch die Sträucher. Er sagte sich, daß es Blätter waren, die sich durch die Erschütterung der dumpfen Luft abgetrennt hatten und niederfielen. Trotzdem hielt er mit dem Klopfen inne und bohrte die Blicke durch das halbdunkle Gewirr der Bäume und Ranken. Da sah er in der dämmerigen Hinterwand etwas wie ein Viereck dunkler Linien. Er kroch hin, jetzt schon unbekümmert, daß er viele irdene Gartentöpfe zertrat und die hohen dünnen Stämme und rauschenden Fächerkronen über und hinter ihm gespenstisch zusammenstürzten. Das Viereck dunkler Linien war der Ausschnitt einer Tür, und sie gab dem Drucke nach. Die freie Luft ging über sein Gesicht; hinter sich hörte er die zerknickten Stämme und niedergedrückten Blätter wie nach einem Gewitter sich leise raschelnd erheben.

Er stand in einem schmalen, gemauerten Gange; oben sah der freie Himmel herein, und die Mauer zu beiden Seiten war kaum über mannshoch. Aber der Gang war nach einer Länge von beiläufig fünfzehn Schritten wieder vermauert, und schon glaubte er sich abermals gefangen. Unschlüssig ging er vor; da war die Mauer zur Rechten in Mannsbreite durchbrochen, und aus der Öffnung lief ein Brett über leere Luft nach einer gegenüberliegenden Plattform; diese war auf der zugewendeten Seite von einem niedrigen Eisengitter geschlossen, auf den beiden anderen von der Hinterseite hoher bewohnter Häuser. Dort, wo das Brett wie eine Enterbrücke auf dem

Rand der Plattform aufruhte, hatte das Gitter eine kleine Tür.

So groß war die Ungeduld des Kaufmannssohnes, aus dem Bereiche seiner Angst zu kommen, daß er sogleich einen, dann den anderen Fuß auf das Brett setzte und, den Blick fest auf das jenseitige Ufer gerichtet, anfing, hinüberzugehen. Aber unglücklicherweise wurde er sich doch bewußt, daß er über einem viele Stockwerke tiefen, gemauerten Graben hing; in den Sohlen und Kniebeugen fühlte er die Angst und Hilflosigkeit, schwindelnd im ganzen Leibe, die Nähe des Todes. Er kniete nieder und schloß die Augen; da stießen seine vorwärts tastenden Arme an die Gitterstäbe. Er umklammerte sie fest, sie gaben nach, und mit leisem Knirschen, das ihm, wie der Anhauch des Todes, den Leib durchschnitt, öffnete sich gegen ihn, gegen den Abgrund, die Tür, an der er hing; und im Gefühle seiner inneren Müdigkeit und großen Mutlosigkeit fühlte er voraus, wie die glatten Eisenstäbe seinen Fingern, die ihm erschienen wie die Finger eines Kindes, sich entwinden und er hinunterstürzt, längs der Mauer zerschellend. Aber das leise Aufgehen der Türe hielt inne, ehe seine Füße das Brett verloren, und mit einem Schwunge warf er seinen zitternden Körper durch die Öffnung hinein auf den harten Boden.

Er konnte sich nicht freuen; ohne sich umzusehen, mit einem dumpfen Gefühle, wie Haß gegen die Sinnlosigkeit dieser Qualen, ging er in eines der Häuser und dort die verwahrloste Stiege hinunter und trat wieder hinaus in eine Gasse, die häßlich und gewöhnlich war. Aber er war schon sehr traurig und müde und konnte sich auf gar nichts besinnen, was ihm irgendwelcher Freude wert schien. Seltsam war alles von ihm gefallen, und ganz leer und vom Leben verlassen ging er durch die Gasse und die nächste und die nächste. Er verfolgte eine Richtung, von der er wußte, daß sie ihn dorthin zurückbringen werde, wo in dieser Stadt die reichen Leute wohnten und wo er sich eine Herberge für die Nacht suchen könnte. Denn es verlangte ihn sehr nach einem Bette. Mit einer kindischen Sehnsucht erinnerte er sich an die Schönheit seines eigenen breiten Bettes, und auch die Betten fielen ihm ein, die der große König der Vergangenheit für sich und seine Gefährten errichtet hatte, als sie Hochzeit hielten mit den Töchtern der unterworfenen Könige, für sich ein Bett von Gold, für die anderen von Silber; getragen von Greifen und geflügelten Stieren. Indessen war er zu den niedrigen Häusern gekommen, wo die Soldaten wohnen. Er achtete nicht darauf. An einem vergitterten Fenster saßen ein paar Soldaten mit gelblichen Gesichtern und traurigen Augen und riefen ihm etwas zu. Da hob er den Kopf und atmete den dumpfen Geruch, der aus dem Zimmer kam, einen ganz besonders beklemmenden Geruch. Aber er verstand nicht, was sie von ihm wollten. Weil sie ihn aber aus seinem achtlosen Dahingehen aufgestört hatten, schaute er jetzt in den Hof hinein, als er am Tore vorbeikam. Der Hof war sehr groß und traurig, und weil es dämmerte erschien er noch größer und trauriger. Auch waren sehr wenige Menschen darin, und die Häuser, die ihn umgaben, waren niedrig und von schmutziggelber Farbe. Das machte ihn noch öder und größer. An einer Stelle waren in einer geraden Linie beiläufig zwanzig Pferde angepflöckt; vor jedem lag ein Soldat in einem Stallkittel aus schmutzigem Zwilch auf den Knien und wusch ihm die Hufe. Ganz in der Ferne kamen viele andere in ähnlichen Anzügen aus Zwilch zu zweien aus einem Tore. Sie gingen langsam und schlürfend und trugen schwere Säcke auf den Schultern. Erst als sie näher kamen, sah er, daß in den offenen Säcken, die sie schweigend schleppten, Brot war. Er sah zu, wie sie langsam in einem Torweg verschwanden und so wie unter einer häßlichen, tückischen Last dahingingen und ihr Brot in solchen Säcken trugen wie die, worin die Traurigkeit ihres Leibes gekleidet war.

Dann ging er zu denen, die vor ihren Pferden auf den Knien lagen und ihnen die Hufe wuschen. Auch diese sahen einander ähnlich und glichen denen am Fenster und denen, die Brot getragen hatten. Sie mußten aus benachbarten Dörfern gekommen sein. Auch sie redeten kaum ein Wort untereinander. Da es ihnen schwer wurde, den Vorderfuß des Pferdes zu halten, schwankten ihre Köpfe, und ihre müden, gelblichen Gesichter hoben und beugten sich wie unter einem starken Winde. Die Köpfe der meisten Pferde waren häßlich und hatten einen boshaften Ausdruck durch zurückgelegte Ohren und hinaufgezogene Oberlippen, welche die oberen Eckzähne bloßlegten. Auch hatten sie meist böse, rollende Augen und eine seltsame Art, aus schiefgezogenen Nüstern ungeduldig und verächtlich die Luft zu stoßen. Das letzte Pferd in der Reihe war besonders stark und häßlich. Es suchte den Mann, der vor ihm kniete und den gewaschenen Huf trockenrieb, mit seinen großen Zähnen in die Schulter zu beißen. Der Mann hatte so hohle Wangen und einen so todestraurigen Ausdruck in den müden Augen, daß der Kaufmannssohn von tiefem, bitterem Mitleid überwältigt wurde. Er wollte den Elenden durch ein Geschenk für den Augenblick aufheitern und griff in die Tasche nach Silbermünzen. Er fand keine und erinnerte sich, daß er die letzten dem Kinde im Glashause hatte schenken wollen, das sie ihm mit einem so boshaften Blick vor die Füße gestreut hatte. Er wollte eine Goldmünze suchen, denn er hatte deren sieben oder acht für die Reise eingesteckt.

In dem Augenblick wandte das Pferd den Kopf und sah ihn an mit tückisch zurückgelegten Ohren und rollenden Augen, die noch boshafter und wilder aussahen, weil eine Blesse gerade in der Höhe der Augen quer über den häßlichen Kopf lief. Bei dem häßlichen Anblicke fiel ihm blitzartig ein längst vergessenes Menschengesicht ein. Wenn er sich noch so sehr bemüht hätte, wäre er nicht imstande gewesen, sich die Züge dieses Menschen je wieder hervorzurufen; jetzt aber waren sie da. Die Erinnerung aber, die mit dem Gesicht kam, war nicht so deutlich. Er wußte nur, daß es aus der Zeit von seinem zwölften Jahre war, aus einer Zeit, mit deren Erinnerung der Geruch von süßen, warmen, geschälten Mandeln irgendwie verknüpft war.

Und er wußte, daß es das verzerrte Gesicht eines häßlichen armen Menschen war, den er ein einziges Mal im Laden seines Vaters gesehen hatte. Und daß das Gesicht von Angst verzerrt war, weil die Leute ihn bedrohten, weil er ein großes Goldstück hatte und nicht sagen wollte, wo er es erlangt hatte.

Während das Gesicht schon wieder zerging, suchte sein Finger noch immer in den Falten seiner Kleider, und als ein plötzlicher, undeutlicher Gedanke ihn hemmte, zog er die Hand unschlüssig heraus und warf dabei den in Seidenpapier eingewickelten Schmuck mit dem Beryll dem Pferd unter die Füße. Er bückte sich, das Pferd schlug ihm den Huf mit aller Kraft nach seitwärts in die Lenden und er fiel auf den Rücken. Er stöhnte laut, seine Knie zogen sich in die Höhe, und mit den Fersen schlug er immerfort auf den Boden. Ein paar von den Soldaten standen auf und hoben ihn an den Schultern und unter den Kniekehlen. Er spürte den Geruch ihrer Kleider, denselben dumpfen, trostlosen, der früher aus dem Zimmer auf die Straße gekommen war, und wollte sich besinnen, wo er den vor langer, sehr langer Zeit schon eingeatmet hatte: dabei vergingen ihm die Sinne. Sie trugen ihn fort über eine niedrige Treppe, durch einen langen, halbfinsteren Gang in eines ihrer Zimmer und legten ihn auf ein niedriges eisernes Bett. Dann durchsuchten sie seine

Kleider, nahmen ihm das Kettchen und die sieben Goldstücke, und endlich gingen sie, aus Mitleid mit seinem unaufhörlichen Stöhnen, einen ihrer Wundärzte zu holen.

Nach einer Zeit schlug er die Augen auf und wurde sich seiner quälenden Schmerzen bewußt. Noch mehr aber erschreckte und ängstigte ihn, allein zu sein in diesem trostlosen Raum. Mühsam drehte er die Augen in den schmerzenden Höhlen gegen die Wand und gewahrte auf einem Brett drei Laibe von solchem Brot, wie die es über den Hof getragen hatten.

Sonst war nichts in dem Zimmer als harte, niedrige Betten und der Geruch von trockenem Schilf, womit die Betten gefüllt waren, und jener andere trostlose, dumpfe Geruch.

Eine Weile beschäftigten ihn nur seine Schmerzen und die erstickende Todesangst, mit der verglichen die Schmerzen eine Erleichterung waren. Dann konnte er die Todesangst für einen Augenblick vergessen und daran denken, wie alles gekommen war.

Da empfand er eine andere Angst, eine stechende, minder erdrückende, eine Angst, die er nicht zum ersten Male fühlte; jetzt aber fühlte er sie wie etwas Überwundenes. Und er ballte die Fäuste und verfluchte seine Diener, die ihn in den Tod getrieben hatten; der eine in die Stadt, die Alte in den Juwelierladen, das Mädchen in das Hinterzimmer und das Kind durch sein tückisches Ebenbild in das Glashaus, von wo er sich dann über grauenhafte Stiegen und Brücken bis unter den Huf des Pferdes taumeln sah. Dann fiel er zurück in große, dumpfe Angst. Dann wimmerte er wie ein Kind, nicht vor Schmerz, sondern vor Leid, und die Zähne schlugen ihm zusammen.

Mit einer großen Bitterkeit starrte er in sein Leben zurück und verleugnete alles, was ihm lieb gewesen war. Er haßte seinen vorzeitigen Tod so sehr, daß er sein

Leben haßte, weil es ihn dahin geführt hatte. Diese innere Wildheit verbrauchte seine letzte Kraft. Ihn schwindelte, und für eine Weile schlief er wieder einen taumeligen schlechten Schlaf. Dann erwachte er und wollte schreien, weil er noch immer allein war, aber die Stimme versagte ihm. Zuletzt erbrach er Galle, dann Blut, und starb mit verzerrten Zügen, die Lippen so verrissen, daß Zähne und Zahnfleisch entblößt waren und ihm einen fremden, bösen Ausdruck gaben.

Reitergeschichte

Den 22. Juli 1848, vor 6 Uhr morgens, verließ ein Streifkommando, die zweite Eskadron von Wallmodenküras-
sieren, Rittmeister Baron Rofrano mit einhundertsieben
Reitern, das Kasino San Alessandro und ritt gegen Mailand. Über der freien, glänzenden Landschaft lag eine
unbeschreibliche Stille; von den Gipfeln der fernen Berge
stiegen Morgenwolken wie stille Rauchwolken gegen den
leuchtenden Himmel; der Mais stand regungslos, und
zwischen Baumgruppen, die aussahen wie gewaschen,
glänzten Landhäuser und Kirchen her. Kaum hatte das
Streifkommando die äußerste Vorpostenlinie der eigenen
Armee etwa um eine Meile hinter sich gelassen, als zwischen den Maisfeldern Waffen aufblitzten und die Avantgarde feindliche Fußtruppen meldete. Die Schwadron
formierte sich neben der Landstraße zur Attacke, wurde
von eigentümlich lauten, fast miauenden Kugeln über-
schwirrt, attackierte querfeldein und trieb einen Trupp
ungleichmäßig bewaffneter Menschen wie die Wachteln
vor sich her. Es waren Leute der Legion Manaras, mit
sonderbaren Kopfbedeckungen. Die Gefangenen wurden
einem Korporal und acht Gemeinen übergeben und nach
rückwärts geschickt. Vor einer schönen Villa, deren Zu-
fahrt uralte Zypressen flankierten, meldete die Avantgarde
verdächtige Gestalten. Der Wachtmeister Anton Lerch
saß ab, nahm zwölf mit Karabinern bewaffnete Leute,
umstellte die Fenster und nahm achtzehn Studenten der
Pisaner Legion gefangen, wohlerzogene und hübsche
junge Leute mit weißen Händen und halblangem Haar.
Eine halbe Stunde später hob die Schwadron einen Mann

auf, der in der Tracht eines Bergamasken vorüberging und durch sein allzu harmloses und unscheinbares Auftreten verdächtig wurde. Der Mann trug im Rockfutter eingenäht die wichtigsten Detailpläne, die Errichtung von Freikorps in den Giudikarien und deren Kooperation mit der piemontesischen Armee betreffend. Gegen 10 Uhr vormittags fiel dem Streifkommando eine Herde Vieh in die Hände. Unmittelbar nachher stellte sich ihm ein starker feindlicher Trupp entgegen und beschoß die Avantgarde von einer Friedhofsmauer aus. Der Tete-Zug des Leutnants Grafen Trautsohn übersprang die niedrige Mauer und hieb zwischen den Gräbern auf die ganz verwirrten Feindlichen ein, von denen ein großer Teil in die Kirche und von dort durch die Sakristeitür in ein dichtes Gehölz sich rettete. Die siebenundzwanzig neuen Gefangenen meldeten sich als neapolitanische Freischaren unter päpstlichen Offizieren. Die Schwadron hatte einen Toten. Einer das Gehölz umreitenden Rotte, bestehend aus dem Gefreiten Wotrubek und den Dragonern Holl und Haindl, fiel eine mit zwei Ackergäulen bespannte leichte Haubitze in die Hände, indem sie auf die Bedeckung einhieben und die Gäule am Kopfzeug packten und umwendeten. Der Gefreite Wotrubek wurde als leicht verwundet mit der Meldung der bestandenen Gefechte und anderer Glücksfälle ins Hauptquartier zurückgeschickt, die Gefangenen gleichfalls nach rückwärts transportiert, die Haubitze aber von der nach abgegebener Eskorte noch achtundsiebzig Reiter zählenden Eskadron mitgenommen.

Nachdem laut übereinstimmender Aussagen der verschiedenen Gefangenen die Stadt Mailand von den feindlichen sowohl regulären als irregulären Truppen vollständig verlassen, auch von allem Geschütz und Kriegsvorrat entblößt war, konnte der Rittmeister sich selbst und der Schwadron nicht versagen, in diese große und schöne, wehrlos daliegende Stadt einzureiten. Unter dem Geläute der Mittagsglocken, der Generalmarsch von den vier Trompeten hinaufgeschmettert in den stählern funkelnden Himmel, an tausend Fenstern hinklirrend und zurückgeblitzt auf achtundsiebzig Kürasse, achtundsiebzig aufgestemmte nackte Klingen; Straße rechts, Straße links wie ein aufgewühlter Ameishaufen sich füllend mit staunenden Gesichtern; fluchende und erbleichende Gestalten hinter Haustoren verschwindend, verschlafene Fenster aufgerissen von den entblößten Armen schöner Unbekannter; vorbei an Santa Babila, an San Fedele, an San Carlo, am weltberühmten marmornen Dom, an San Satiro, San Giorgio, San Lorenzo, San Eustorgio; deren uralte Erztore alle sich auftuend und unter Kerzenschein und Weihrauchqualm silberne Heilige und brokatgekleidete strahlenäugige Frauen hervorwinkend; aus tausend Dachkammern, dunklen Torbogen, niedrigen Butiken Schüsse zu gewärtigen, und immer wieder nur halbwüchsige Mädchen und Buben, die weißen Zähne und dunklen Haare zeigend; vom trabenden Pferde herab funkelnden Auges auf alles dies hervorblickend aus einer Larve von blutgesprengtem Staub; zur Porta Venezia hinein, zur Porta Ticinese wieder hinaus: so ritt die schöne Schwadron durch Mailand.

Nicht weit vom letztgenannten Stadttor, wo sich ein mit hübschen Platanen bewachsenes Glacis erstreckte, glaubte der Wachtmeister Anton Lerch am ebenerdigen Fenster eines neugebauten hellgelben Hauses ein ihm bekanntes weibliches Gesicht zu sehen. Neugierde bewog ihn, sich im Sattel umzuwenden, und da er gleichzeitig aus einigen steifen Tritten seines Pferdes vermutete, es hätte in eines der vorderen Eisen einen Straßenstein eingetreten, er auch an der Queue der Eskadron ritt und ohne Störung aus dem Gliede konnte, so bewog ihn alles dies zusammen, abzusitzen, und zwar nachdem er gerade das Vorderteil seines Pferdes in den Flur des betreffenden Hauses gelenkt hatte.

Kaum hatte er hier den zweiten weißgestiefelten Vorderfuß seines Braunen in die Höhe gehoben, um den Huf zu
prüfen, als wirklich eine aus dem Innern des Hauses ganz
vorne in den Flur mündende Zimmertür aufging und in
einem etwas zerstörten Morgenanzug eine üppige, beinahe noch junge Frau sichtbar wurde, hinter ihr aber ein
helles Zimmer mit Gartenfenstern, worauf ein paar Töpf-
chen Basilika und rote Pelargonien, ferner mit einem
Mahagonischrank und einer mythologischen Gruppe aus
Biskuit dem Wachtmeister sich zeigte, während seinem
scharfen Blick noch gleichzeitig in einem Pfeilerspiegel
die Gegenwand des Zimmers sich verriet, ausgefüllt von
einem großen weißen Bette und einer Tapetentür, durch
welche sich ein beleibter vollständig rasierter älterer
Mann im Augenblicke zurückzog.
Indem aber dem Wachtmeister der Name der Frau einfiel
und gleichzeitig eine Menge anderes: daß es die Witwe
oder geschiedene Frau eines kroatischen Rechnungsunter-
offiziers war, daß er mit ihr vor neun oder zehn Jahren in
Wien in Gesellschaft eines anderen, ihres damaligen eigentlichen Liebhabers, einige Abende und halbe Nächte verbracht hatte, suchte er nun mit den Augen unter ihrer
jetzigen Fülle die damalige üppig-magere Gestalt wieder
hervorzuziehen. Die Dastehende aber lächelte ihn in einer
halb geschmeichelten slawischen Weise an, die ihm das
Blut in den starken Hals und unter die Augen trieb,
während eine gewisse gezierte Manier, mit der sie ihn
anredete, sowie auch der Morgenanzug und die Zimmer-
einrichtung ihn einschüchterten. Im Augenblick aber,
während er mit etwas schwerfälligem Blick einer großen
Fliege nachsah, die über den Haarkamm der Frau lief, und
äußerlich auf nichts achtete, als wie er seine Hand, diese
Fliege zu scheuchen, sogleich auf den weißen, warm und
kühlen Nacken legen würde, erfüllte ihn das Bewußtsein
der heute bestandenen Gefechte und anderer Glücksfälle

von oben bis unten, so daß er ihren Kopf mit schwerer Hand nach vorwärts drückte und dazu sagte: »Vuic« – diesen ihren Namen hatte er gewiß seit zehn Jahren nicht wieder in den Mund genommen und ihren Taufnamen vollständig vergessen –, »in acht Tagen rücken wir ein, und dann wird das da mein Quartier«, auf die halboffene Zimmertür deutend. Unter dem hörte er im Hause mehrfach Türen zuschlagen, fühlte sich von seinem Pferde, zuerst durch stummes Zerren am Zaum, dann indem es laut den anderen nachwieherte, fortgedrängt, saß auf und trabte der Schwadron nach, ohne von der Vuic eine andere Antwort als ein verlegenes Lachen mit in den Nacken gezogenem Kopf mitzunehmen. Das ausgesprochene Wort aber machte seine Gewalt geltend. Seitwärts der Rottenkolonne, einen nicht mehr frischen Schritt reitend, unter der schweren metallischen Glut des Himmels, den Blick in der mitwandernden Staubwolke verfangen, lebte sich der Wachtmeister immer mehr in das Zimmer mit den Mahagonimöbeln und den Basilikumtöpfen hinein und zugleich in eine Zivilatmosphäre, durch welche doch das Kriegsmäßige durchschimmerte, eine Atmosphäre von Behaglichkeit und angenehmer Gewalttätigkeit ohne Dienstverhältnis, eine Existenz in Hausschuhen, den Korb des Säbels durch die linke Tasche des Schlafrockes durchgesteckt. Der rasierte, beleibte Mann, der durch die Tapetentür verschwunden war, ein Mittelding zwischen Geistlichem und pensioniertem Kammerdiener, spielte darin eine bedeutende Rolle, fast mehr noch als das schöne breite Bett und die feine weiße Haut der Vuic. Der Rasierte nahm bald die Stelle eines vertraulich behandelten, etwas unterwürfigen Freundes ein, der Hoftratsch erzählte, Tabak und Kapaunen brachte, bald wurde er an die Wand gedrückt, mußte Schweiggelder zahlen, stand mit allen möglichen Umtrieben in Verbindung, war piemontesischer Vertrauter, päpstlicher Koch, Kuppler, Besitzer verdächtiger Häuser mit dunklen Gartensälen für politische Zusammenkünfte, und wuchs zu einer schwammigen Riesengestalt, der man an zwanzig Stellen Spundlöcher in den Leib schlagen und statt Blut Gold abzapfen konnte.

Dem Streifkommando begegnete in den Nachmittagsstunden nichts Neues, und die Träumereien des Wachtmeisters erfuhren keine Hemmungen. Aber in ihm war ein Durst nach unerwartetem Erwerb, nach Gratifikationen, nach plötzlich in die Tasche fallenden Dukaten rege geworden. Denn der Gedanke an das bevorstehende erste Eintreten in das Zimmer mit den Mahagonimöbeln war der Splitter im Fleisch, um den herum alles von Wünschen und Begierden schwärte.

Als nun gegen Abend das Streifkommando mit gefütterten und halbwegs ausgerasteten Pferden in einem Bogen gegen Lodi und die Addabrücke vorzudringen suchte, wo denn doch Fühlung mit dem Feind sehr zu gewärtigen war, schien dem Wachtmeister ein von der Landstraße abliegendes Dorf, mit halbverfallenem Glockenturm in einer dunkelnden Mulde gelagert, auf verlockende Weise verdächtig, so daß er, die Gemeinen Holl und Scarmolin zu sich winkend, mit diesen beiden vom Marsche der Eskadron seitlich abbog und in dem Dorfe geradezu einen feindlichen General mit geringer Bedeckung zu überraschen und anzugreifen oder anderswie ein ganz außerordentliches Prämium zu verdienen hoffte, so aufgeregt war seine Einbildung. Vor dem elenden, scheinbar verödeten Nest angelangt, befahl er dem Scarmolin links, dem Holl rechts die Häuser außen zu umreiten, während er selbst, Pistole in der Faust, die Straße durchzugaloppieren sich anschickte, bald aber, harte Steinplatten unter sich fühlend, auf welchen noch dazu irgendein glitschriges Fett ausgegossen war, sein Pferd in Schritt parieren mußte. Das Dorf blieb totenstill; kein Kind, kein Vogel, kein

Lufthauch. Rechts und links standen schmutzige kleine Häuser, von deren Wänden der Mörtel abgefallen war; auf den nackten Ziegeln war hie und da etwas Häßliches mit Kohle gezeichnet; zwischen bloßgelegten Türpfosten ins Innere schauend, sah der Wachtmeister hie und da eine faule, halbnackte Gestalt auf einer Bettstatt lungern oder schleppend, wie mit ausgerenkten Hüften, durchs Zimmer gehen. Sein Pferd ging schwer und schob die Hinterbeine mühsam unter, wie wenn sie von Blei wären. Indem er sich umwendete und bückte, um nach dem rückwärtigen Eisen zu sehen, schlürften Schritte aus einem Hause, und da er sich aufrichtete, ging dicht vor seinem Pferde eine Frauensperson, deren Gesicht er nicht sehen konnte. Sie war nur halb angekleidet; ihr schmutziger, abgerissener Rock von geblümter Seide schleppte im Rinnsal, ihre nackten Füße staken in schmutzigen Pantoffeln; sie ging so dicht vor dem Pferde, daß der Hauch aus den Nüstern den fettig glänzenden Lockenbund bewegte, der ihr unter einem alten Strohhute in den entblößten Nacken hing, und doch ging sie nicht schneller und wich dem Reiter nicht aus. Unter einer Türschwelle zur Linken rollten zwei ineinander verbissene blutende Ratten in die Mitte der Straße, von denen die unterliegende so jämmerlich aufschrie, daß das Pferd des Wachtmeisters sich verhielt und mit schiefem Kopf und hörbarem Atem gegen den Boden stierte. Ein Schenkeldruck brachte es wieder vorwärts, und nun war die Frau in einem Hausflur verschwunden, ohne daß der Wachtmeister hatte ihr Gesicht sehen können. Aus dem nächsten Hause lief eilfertig mit gehobenem Kopfe ein Hund heraus, ließ einen Knochen in der Mitte der Straße fallen und versuchte ihn in einer Fuge des Pflasters zu verscharren. Es war eine weiße unreine Hündin mit hängenden Zitzen; mit teuflischer Hingabe scharrte sie, packte dann den Knochen mit den Zähnen und trug ihn ein Stück weiter. Indessen sie wieder zu scharren anfing, waren schon drei Hunde bei ihr: zwei waren sehr jung, mit weichen Knochen und schlaffer Haut; ohne zu bellen und ohne beißen zu können, zogen sie einander mit stumpfen Zähnen an den Lefzen. Der Hund, der zugleich mit ihnen gekommen war, war ein lichtgelbes Windspiel von so aufgeschwollenem Leib, daß es nur ganz langsam auf den vier dünnen Beinen sich weitertragen konnte. An dem dicken wie eine Trommel gespannten Leib erschien der Kopf viel zu klein; in den kleinen ruhelosen Augen war ein entsetzlicher Ausdruck von Schmerz und Beklemmung. Sogleich sprangen noch zwei Hunde hinzu: ein magerer, weißer, von äußerst gieriger Häßlichkeit, dem schwarze Rinnen von den entzündeten Augen herunterliefen, und ein schlechter Dachshund auf hohen Beinen. Dieser hob seinen Kopf gegen den Wachtmeister und schaute ihn an. Er mußte sehr alt sein. Seine Augen waren unendlich müde und traurig. Die Hündin aber lief in blöder Hast vor dem Reiter hin und her; die beiden jungen schnappten lautlos mit ihrem weichen Maul nach den Fesseln des Pferdes, und das Windspiel schleppte seinen entsetzlichen Leib hart vor den Hufen. Der Braun konnte keinen Schritt mehr tun. Als aber der Wachtmeister seine Pistole auf eines der Tiere abdrücken wollte und die Pistole versagte, gab er dem Pferde beide Sporen und dröhnte über das Steinpflaster hin. Nach wenigen Sätzen aber mußte er das Pferd scharf parieren. Denn hier sperrte eine Kuh den Weg, die ein Bursche mit gespanntem Strick zur Schlachtbank zerrte. Die Kuh aber, von dem Dunst des Blutes und der an den Türpfosten genagelten frischen Haut eines schwarzen Kalbes zurückschaudernd, stemmte sich auf ihren Füßen, sog mit geblähten Nüstern den rötlichen Sonnendunst des Abends in sich und riß sich, bevor der Bursche sie mit Prügel und Strick hinüberbekam, mit kläglichen Augen noch ein Maulvoll von dem Heu ab, das der

Wachtmeister vorne am Sattel befestigt hatte. Er hatte nun das letzte Haus des Dorfes hinter sich und konnte, zwischen zwei niedrigen, abgebröckelten Mauern reitend, jenseits einer alten einbogigen Steinbrücke über einen anscheinend trockenen Graben den weiteren Verlauf des Weges absehen, fühlte aber in der Gangart seines Pferdes eine so unbeschreibliche Schwere, ein solches Nichtvorwärtskommen, daß sich an seinem Blick jeder Fußbreit der Mauern rechts und links, ja jeder von den dort sitzenden Tausendfüßen und Asseln mühselig vorbeischob, und ihm war, als hätte er eine unmeßbare Zeit mit dem Durchreiten des widerwärtigen Dorfes verbracht. Wie nun zugleich aus der Brust seines Pferdes ein schwerer rohrender Atem hervordrang, er dies ihm völlig ungewohnte Geräusch aber nicht sogleich richtig erkannte und die Ursache davon zuerst über und neben sich und schließlich in der Entfernung suchte, bemerkte er jenseits der Steinbrücke und beiläufig in gleicher Entfernung von dieser als wie er sich selbst befand, einen Reiter des eigenen Regiments auf sich zukommen, und zwar einen Wachtmeister, und zwar auf einem Braunen mit weißgestiefelten Vorderbeinen. Da er nun wohl wußte, daß sich in der ganzen Schwadron kein solches Pferd befand, ausgenommen dasjenige, auf welchem er selbst in diesem Augenblicke saß, er das Gesicht des anderen Reiters aber immer noch nicht erkennen konnte, so trieb er ungeduldig sein Pferd sogar mit den Sporen zu einem sehr lebhaften Trab an, worauf auch der andere sein Tempo ganz im gleichen Maße verbesserte, so daß nun nur mehr ein Steinwurf sie trennte, und nun, indem die beiden Pferde, jedes von seiner Seite her, im gleichen Augenblick, jedes mit dem gleichen weißgestiefelten Vorfuß die Brücke betraten, der Wachtmeister, mit stierem Blick in der Erscheinung sich selber erkennend, wie sinnlos sein Pferd zurückriß und die rechte Hand mit ausgespreizten Fingern gegen das Wesen vorstreckte, worauf die Gestalt, gleichfalls parierend und die Rechte erhebend, plötzlich nicht da war, die Gemeinen Holl und Scarmolin mit unbefangenen Gesichtern von rechts und links aus dem trockenen Graben auftauchten und gleichzeitig über die Hutweide her, stark und aus gar nicht großer Entfernung, die Trompeten der Eskadron »Attacke« bliesen. Im stärksten Galopp eine Erdwelle hinansetzend, sah der Wachtmeister die Schwadron schon im Galopp auf ein Gehölz zu, aus welchem feindliche Reiter mit Piken eilfertig debouchierten; sah, indem er, die vier losen Zügel in der Linken versammelnd, den Handriemen um die Rechte schlang, den vierten Zug sich von der Schwadron ablösen und langsamer werden, war nun schon auf dröhnendem Boden, nun in starkem Staubgeruch, nun mitten im Feinde, hieb auf einen blauen Arm ein, der eine Pike führte, sah dicht neben sich das Gesicht des Rittmeisters mit weit aufgerissenen Augen und grimmig entblößten Zähnen, war dann plötzlich unter lauter feindlichen Gesichtern und fremden Farben eingekeilt, tauchte unter in lauter geschwungenen Klingen, stieß den nächsten in den Hals und vom Pferd herab, sah neben sich den Gemeinen Scarmolin mit lachendem Gesicht einem die Finger der Zügelhand ab- und tief in den Hals des Pferdes hineinhauen, fühlte die Mêlée sich lockern und war auf einmal allein, am Rand eines kleinen Baches, hinter einem feindlichen Offizier auf einem Eisenschimmel. Der Offizier wollte über den Bach; der Eisenschimmel versagte. Der Offizier riß ihn herum, wendete dem Wachtmeister ein junges, sehr bleiches Gesicht und die Mündung einer Pistole zu, als ihm ein Säbel in den Mund fuhr, in dessen kleiner Spitze die Wucht eines galoppierenden Pferdes zusammengedrängt war. Der Wachtmeister riß den Säbel zurück und erhaschte an der gleichen Stelle, wo die Finger des Herunterstürzenden ihn losgelassen hatten, den Stangenzügel des Eisenschimmels, der leicht und zierlich wie ein Reh die Füße über seinen sterbenden Herrn hinhob.

Als der Wachtmeister mit dem schönen Beutepferd zurückritt, warf die in schwerem Dunst untergehende Sonne eine ungeheure Röte über die Hutweide. Auch an solchen Stellen, wo gar keine Hufspuren waren, schienen ganze Lachen von Blut zu stehen. Ein roter Widerschein lag auf den weißen Uniformen und den lachenden Gesichtern, die Kürasse und Schabracken funkelten und glühten, und am stärksten drei kleine Feigenbäume, an deren weichen Blättern die Reiter lachend die Blutrinnen ihrer Säbel abgewischt hatten. Seitwärts der rotgefleckten Bäume hielt der Rittmeister und neben ihm der Eskadronstrompeter, der die wie in roten Saft getauchte Trompete an den Mund hob und Appell blies. Der Wachtmeister ritt von Zug zu Zug und sah, daß die Schwadron nicht einen Mann verloren und dafür neun Handpferde gewonnen hatte. Er ritt zum Rittmeister und meldete, immer den Eisenschimmel neben sich, der mit gehobenem Kopf tänzelte und Luft einzog, wie ein junges, schönes und eitles Pferd, das es war. Der Rittmeister hörte die Meldung nur zerstreut an. Er winkte den Leutnant Grafen Trautsohn zu sich, der dann sogleich absaß und mit sechs gleichfalls abgesessenen Kürassieren hinter der Front der Eskadron die erbeutete leichte Haubitze ausspannte, das Geschütz von den sechs Mannschaften zur Seite schleppen und in ein von dem Bach gebildetes kleines Sumpfwasser versenken ließ, hierauf wieder aufsaß und, nachdem er die nunmehr überflüssigen beiden Zuggäule mit der flachen Klinge fortgejagt hatte, stillschweigend seinen Platz vor dem ersten Zug wieder einnahm. Während dieser Zeit verhielt sich die in zwei Gliedern formierte Eskadron nicht eigentlich unruhig, es herrschte aber doch eine nicht ganz gewöhnliche Stimmung, durch die Erregung von vier an einem Tage glücklich bestandenen Gefechten erklärlich, die sich im leichten Ausbrechen halb unterdrückten Lachens sowie in halblauten untereinander gewechselten Zurufen äußerte. Auch standen die Pferde nicht ruhig, besonders diejenigen, zwischen denen fremde erbeutete Pferde eingeschoben waren. Nach solchen Glücksfällen schien allen der Aufstellungsraum zu enge, und solche Reiter und Sieger verlangten sich innerlich, nun im offenen Schwarm auf einen neuen Gegner loszugehen, einzuhauen und neue Beutepferde zu packen. In diesem Augenblicke ritt der Rittmeister Baron Rofrano dicht an die Front seiner Eskadron, und indem er von den etwas schläfrigen blauen Augen die großen Lider hob, kommandierte er vernehmlich, aber ohne seine Stimme zu erheben: »Handpferde auslassen!« Die Schwadron stand totenstill. Nur der Eisenschimmel neben dem Wachtmeister streckte den Hals und berührte mit seinen Nüstern fast die Stirne des Pferdes, auf welchem der Rittmeister saß. Der Rittmeister versorgte seinen Säbel, zog eine seiner Pistolen aus dem Halfter, und indem er mit dem Rücken der Zügelhand ein wenig Staub von dem blinkenden Lauf wegwischte, wiederholte er mit etwas lauterer Stimme sein Kommando und zählte gleich nachher »eins« und »zwei«. Nachdem er das »zwei« gezählt hatte, heftete er seinen verschleierten Blick auf den Wachtmeister, der regungslos vor ihm im Sattel saß und ihm starr ins Gesicht sah. Während Anton Lerchs starr aushaltender Blick, in dem nur dann und wann etwas Gedrücktes, Hündisches aufflackerte und wieder verschwand, eine gewisse Art devoten, aus vieljährigem Dienstverhältnisse hervorgegangenen Zutrauens ausdrücken mochte, war sein Bewußtsein von der ungeheuren Gespanntheit dieses Augenblicks fast gar nicht erfüllt, sondern von vielfältigen Bildern einer fremdartigen Behaglichkeit ganz überschwemmt, und aus einer ihm selbst völlig unbekannten Tiefe seines Innern stieg ein bestialischer Zorn gegen den Menschen da vor ihm

auf, der ihm das Pferd wegnehmen wollte, ein so entsetzlicher Zorn über das Gesicht, die Stimme, die Haltung
und das ganze Dasein dieses Menschen, wie er nur durch
jahrelanges enges Zusammenleben auf geheimnisvolle
Weise entstehen kann. Ob aber in dem Rittmeister etwas
Ähnliches vorging, oder ob sich ihm in diesem Augenblicke stummer Insubordination die ganze lautlos um sich
greifende Gefährlichkeit kritischer Situationen zusammenzudrängen schien, bleibt im Zweifel: Er hob mit
einer nachlässigen, beinahe gezierten Bewegung den
Arm, und indem er, die Oberlippe verächtlich hinauf-
ziehend, »drei« zählte, krachte auch schon der Schuß,
und der Wachtmeister taumelte, in die Stirn getroffen, mit
dem Oberleib auf den Hals seines Pferdes, dann zwischen
dem Braun und dem Eisenschimmel zu Boden. Er hatte
aber noch nicht hingeschlagen, als auch schon sämtliche
Chargen und Gemeinen sich ihrer Beutepferde mit einem
Zügelriß oder Fußtritt entledigt hatten und der Rittmeister, seine Pistole ruhig versorgend, die von einem blitz-
ähnlichen Schlag noch nachzuckende Schwadron dem in
undeutlicher dämmernder Entfernung anscheinend sich
ralliierenden Feinde aufs neue entgegenführen konnte.
Der Feind nahm aber die neuerliche Attacke nicht an,
und kurze Zeit nachher erreichte das Streifkommando
unbehelligt die südliche Vorpostenaufstellung der eigenen
Armee.

Das Erlebnis des Marschalls
von Bassompierre

Zu einer gewissen Zeit meines Lebens brachten es meine Dienste mit sich, daß ich ziemlich regelmäßig mehrmals in der Woche um eine gewisse Stunde über die kleine Brücke ging (denn der Pont neuf war damals noch nicht erbaut) und dabei meist von einigen Handwerkern oder anderen Leuten aus dem Volk erkannt und gegrüßt wurde, am auffälligsten aber und regelmäßigsten von einer sehr hübschen Krämerin, deren Laden an einem Schild mit zwei Engeln kenntlich war, und die, sooft ich in den fünf oder sechs Monaten vorüberkam, sich tief neigte und mir soweit nachsah, als sie konnte. Ihr Betragen fiel mir auf, ich sah sie gleichfalls an und dankte ihr sorgfältig. Einmal, im Spätwinter, ritt ich von Fontainebleau nach Paris, und als ich wieder die kleine Brücke heraufkam, trat sie an ihre Ladentür und sagte zu mir, indem ich vorbeiritt: »Mein Herr, Ihre Dienerin!« Ich erwiderte den Gruß, und indem ich mich von Zeit zu Zeit umsah, hatte sie sich weit vorgelehnt, um mir soweit als möglich nachzusehen. Ich hatte einen Bedienten und einen Postillon hinter mir, die ich noch diesen Abend mit Briefen an gewisse Damen nach Fontainebleau zurückschicken wollte. Auf meinen Befehl stieg der Bediente ab und ging zu der jungen Frau, ihr in meinem Namen zu sagen, daß ich ihre Neigung, mich zu sehen und zu grüßen, bemerkt hätte; ich wollte, wenn sie wünschte mich näher kennenzulernen, sie aufsuchen, wo sie verlangte.

Sie antwortete dem Bedienten: er hätte ihr keine erwünschtere Botschaft bringen können, sie wollte kommen, wohin ich sie bestellte.

Im Weiterreiten fragte ich den Bedienten, ob er nicht etwa einen Ort wüßte, wo ich mit der Frau zusammenkommen könnte. Er antwortete, daß er sie zu einer gewissen Kupplerin führen wollte; da er aber ein sehr besorgter und gewissenhafter Mensch war, dieser Diener Wilhelm aus Courtrai, so setzte er gleich hinzu: da die Pest sich hie und da zeigte und nicht nur Leute aus dem niedrigen und schmutzigen Volk, sondern auch ein Doktor und ein Domherr schon daran gestorben seien, so rate er mir, Matratzen, Decken und Leintücher aus meinem Hause mitbringen zu lassen. Ich nahm den Vorschlag an, und er versprach, mir ein gutes Bett zu bereiten. Vor dem Absteigen sagte ich noch, er solle auch ein ordentliches Waschbecken dorthin tragen, eine kleine Flasche mit wohlriechender Essenz und etwas Backwerk und Äpfel; auch solle er dafür sorgen, daß das Zimmer tüchtig geheizt werde, denn es war so kalt, daß mir die Füße im Bügel steif gefroren waren, und der Himmel hing voll Schneewolken.

Den Abend ging ich hin und fand eine sehr schöne Frau von ungefähr zwanzig Jahren auf dem Bette sitzen, indes die Kupplerin, ihren Kopf und ihren runden Rücken in ein schwarzes Tuch eingemummt, eifrig sie hineinredete. Die Tür war angelehnt, im Kamin lohten große frische Scheiter geräuschvoll auf, man hörte mich nicht kommen, und ich blieb einen Augenblick in der Tür stehen. Die Junge sah mit großen Augen ruhig in die Flamme; mit einer Bewegung ihres Kopfes hatte sie sich wie auf Meilen von der widerwärtigen Alten entfernt; dabei war unter einer kleinen Nachthaube, die sie trug, ein Teil ihrer schweren dunklen Haare vorgequollen und fiel, zu ein paar natürlichen Locken sich ringelnd, zwischen Schulter und Brust über das Hemd. Sie trug noch einen kurzen Unterrock von grünwollenem Zeug und Pantoffeln an den Füßen. In diesem Augenblick mußte ich mich durch ein Geräusch verraten haben: Sie warf ihren Kopf herum und bog mir ein Gesicht entgegen, dem die übermäßige Anspannung der Züge fast einen wilden Ausdruck gegeben hätte, ohne die strahlende Hingebung, die aus den weit aufgerissenen Augen strömte und aus dem sprachlosen Mund wie eine unsichtbare Flamme herausschlug. Sie gefiel mir außerordentlich; schneller, als es sich denken läßt, war die Alte aus dem Zimmer und ich bei meiner Freundin. Als ich mir in der ersten Trunkenheit des überraschenden Besitzes einige Freiheiten herausnehmen wollte, entzog sie sich mir mit einer unbeschreiblich lebenden Eindringlichkeit zugleich des Blickes und der dunkeltönenden Stimme. Im nächsten Augenblick aber fühlte ich mich von ihr umschlungen, die noch inniger mit dem fort und fort empordrängenden Blick der unerschöpflichen Augen als mit den Lippen und den Armen an mir haftete; dann wieder war es, als wollte sie sprechen, aber die von Küssen zuckenden Lippen bildeten keine Worte, die bebende Kehle ließ keinen deutlicheren Laut als ein gebrochenes Schluchzen empor.

Nun hatte ich einen großen Teil dieses Tages zu Pferde auf frostigen Landstraßen verbracht, nachher im Vorzimmer des Königs einen sehr ärgerlichen und heftigen Auftritt durchgemacht und darauf, meine schlechte Laune zu betäuben, sowohl getrunken als mit dem Zweihänder stark gefochten, und so überfiel mich mitten unter diesem reizenden und geheimnisvollen Abenteuer, als ich von weichen Armen im Nacken umschlungen und mit duftendem Haar bestreuet dalag, eine so plötzliche heftige Müdigkeit und beinahe Betäubung, daß ich mich nicht mehr zu erinnern wußte, wie ich denn gerade in dieses Zimmer gekommen wäre, ja sogar für einen Augenblick die Person, deren Herz so nahe dem meinigen klopfte, mit einer ganz anderen aus früherer Zeit verwechselte und gleich darauf fest einschlief.

Als ich wieder erwachte, war es noch finstere Nacht, aber ich fühlte sogleich, daß meine Freundin nicht mehr bei mir war. Ich hob den Kopf und sah beim schwachen Schein der zusammensinkenden Glut, daß sie am Fenster stand: Sie hatte den einen Laden aufgeschoben und sah durch den Spalt hinaus. Dann drehte sie sich um, merkte, daß ich wach war, und rief.(ich sehe noch, wie sie dabei mit dem Ballen der linken Hand an ihrer Wange emporfuhr und das vorgefallene Haar über die Schulter zurückwarf): »Es ist noch lange nicht Tag, noch lange nicht!« Nun sah ich erst recht, wie groß und schön sie war, und konnte den Augenblick kaum erwarten, daß sie mit wenigen der ruhigen großen Schritte ihrer schönen Füße, an denen der rötliche Schein emporglomm, wieder bei mir wäre. Sie trat aber noch vorher an den Kamin, bog sich zur Erde, nahm das letzte schwere Scheit, das draußen lag, in ihre strahlenden nackten Arme und warf es schnell in die Glut. Dann wandte sie sich, ihr Gesicht funkelte von Flammen und Freude, mit der Hand riß sie im Vorbeilaufen einen Apfel vom Tisch und war schon bei mir, ihre Glieder noch vom frischen Anhauch des Feuers umweht und dann gleich aufgelöst und von innen her von stärkeren Flammen durchschüttert, mit der Rechten mich umfassend, mit der Linken zugleich die angebissene kühle Frucht und Wangen, Lippen und Augen meinem Mund darbietend. Das letzte Scheit im Kamin brannte stärker als alle anderen. Aufsprühend sog es die Flamme in sich und ließ sie dann wieder gewaltig emporlohen, daß der Feuerschein über uns hinschlug, wie eine Welle, die an der Wand sich brach und unsere umschlungenen Schatten jäh emporhob und wieder sinken ließ. Immer wieder knisterte das starke Holz und nährte aus seinem Innern immer wieder neue Flammen, die emporzüngelten und das schwere Dunkel mit Güssen und Garben von rötlicher Helle verdrängten. Auf einmal aber sank die Flamme hin, und ein kalter Lufthauch tat leise wie eine Hand den Fensterladen auf und entblößte die fahle widerwärtige Dämmerung.

Wir setzten uns auf und wußten, daß nun der Tag da war. Aber das da draußen glich keinem Tag. Es glich nicht dem Aufwachen der Welt. Was da draußen lag, sah nicht aus wie eine Straße. Nichts Einzelnes ließ sich erkennen: es war ein farbloser, wesenloser Wust, in dem sich zeitlose Larven hinbewegen mochten. Von irgendwoher, weither, wie aus der Erinnerung heraus, schlug eine Turmuhr, und eine feuchtkalte Luft, die keiner Stunde angehörte, zog sich immer stärker herein, daß wir uns schaudernd aneinanderdrückten. Sie bog sich zurück und heftete ihre Augen mit aller Macht auf mein Gesicht; ihre Kehle zuckte, etwas drängte sich in ihr herauf und quoll bis an den Rand der Lippen vor: es wurde kein Wort daraus, kein Seufzer und kein Kuß, aber etwas, was ungeboren allen dreien glich. Von Augenblick zu Augenblick wurde es heller und der vielfältige Ausdruck ihres zuckenden Gesichts immer redender; auf einmal kamen schlürfende Schritte und Stimmen von draußen so nahe am Fenster vorbei, daß sie sich duckte und ihr Gesicht gegen die Wand kehrte. Es waren zwei Männer, die vorbeigingen: einen Augenblick fiel der Schein einer kleinen Laterne, die der eine trug, herein; der andere schob einen Karren, dessen Rad knirschte und ächzte. Als sie vorüber waren, stand ich auf, schloß den Laden und zündete ein Licht an. Da lag noch ein halber Apfel: wir aßen ihn zusammen, und dann fragte ich sie, ob ich sie nicht noch einmal sehen könnte, denn ich verreiste erst Sonntag. Dies war aber die Nacht vom Donnerstag auf den Freitag gewesen.

Sie antwortete mir: daß sie es gewiß sehnlicher verlange als ich; wenn ich aber nicht den ganzen Sonntag bliebe, sei es ihr unmöglich; denn nur in der Nacht vom Sonntag auf den Montag könnte sie mich wiedersehen.

Mir fielen zuerst verschiedene Abhaltungen ein, so daß ich einige Schwierigkeiten machte, die sie mit keinem Worte, aber mit einem überaus schmerzlich fragenden Blick und einem gleichzeitigen fast unheimlichen Hart- und Dunkelwerden ihres Gesichts anhörte. Gleich darauf versprach ich natürlich, den Sonntag zu bleiben, und setzte hinzu, ich wollte also Sonntag abend mich wieder an dem nämlichen Ort einfinden. Auf dieses Wort sah sie mich fest an und sagte mir mit einem ganz rauhen und gebrochenen Ton in der Stimme: »Ich weiß recht gut, daß ich um deinetwillen in ein schändliches Haus gekommen bin; aber ich habe es freiwillig getan, weil ich mit dir sein *wollte*, weil ich *jede* Bedingung eingegangen wäre. Aber jetzt käme ich mir vor, wie die letzte, niedrigste Straßendirne, wenn ich ein zweites Mal hierher zurückkommen könnte. Um deinetwillen hab' ich's getan, weil du für mich der bist, der du bist, weil du der Bassompierre bist, weil du der Mensch auf der Welt bist, der mir durch seine Gegenwart dieses Haus da ehrenwert macht!« Sie sagte: »Haus«; einen Augenblick war es, als wäre ein verächtliches Wort ihr auf der Zunge; indem sie das Wort aussprach, warf sie auf diese vier Wände, auf dieses Bett, auf die Decke, die herabgeglitten auf dem Boden lag, einen solchen Blick, daß unter der Garbe von Licht, die aus ihren Augen hervorschoß, alle diese häßlichen und gemeinen Dinge aufzuzucken und geduckt vor ihr zurückzuweichen schienen, als wäre der erbärmliche Raum wirklich für einen Augenblick größer geworden.

Dann setzte sie mit einem unbeschreiblich sanften und feierlichen Tone hinzu: »Möge ich eines elenden Todes sterben, wenn ich außer meinem Mann und dir je irgendeinem andern gehört habe und nach irgendeinem anderen auf der Welt verlange!«, und schien, mit halboffenen, lebenhauchenden Lippen leicht vorgeneigt, irgendeine Antwort, eine Beteuerung meines Glaubens zu erwarten,

von meinem Gesicht aber nicht das zu lesen, was sie verlangte, denn ihr gespannter suchender Blick trübte sich,
ihre Wimpern schlugen auf und zu, und auf einmal war
sie am Fenster und kehrte mir den Rücken, die Stirn mit
aller Kraft an den Laden gedrückt, den ganzen Leib von
lautlosem, aber entsetzlich heftigem Weinen so durchschüttert, daß mir das Wort im Munde erstarb und ich
nicht wagte, sie zu berühren. Ich erfaßte endlich eine
ihrer Hände, die wie leblos herabhingen, und mit den
eindringlichsten Worten, die mir der Augenblick eingab,
gelang es mir nach langem, sie soweit zu besänftigen, daß
sie mir ihr von Tränen überströmtes Gesicht wieder zu-
kehrte, bis plötzlich ein Lächeln, wie ein Licht zugleich
aus den Augen und rings um die Lippen hervorbrechend,
in einem Moment alle Spuren des Weinens wegzehrte
und das ganze Gesicht mit Glanz überschwemmte. Nun
war es das reizendste Spiel, wie sie wieder mit mir zu
reden anfing, indem sie sich mit dem Satz: »Du willst
mich noch einmal sehen? so will ich dich bei meiner Tante
einlassen!« endlos herumspielte, die erste Hälfte zehnfach
aussprach, bald mit süßer Zudringlichkeit, bald mit kin-
dischem gespieltem Mißtrauen, dann die zweite mir als
das größte Geheimnis zuerst ins Ohr flüsterte, dann mit
Achselzucken und spitzem Mund, wie die selbstverständ-
lichste Verabredung von der Welt, über die Schulter
hinwarf und endlich, an mir hängend, mir ins Gesicht
lachend und schmeichelnd wiederholte. Sie beschrieb
mir das Haus aufs genaueste, wie man einem Kind den
Weg beschreibt, wenn es zum erstenmal allein über die
Straße zum Bäcker gehen soll. Dann richtete sie sich auf,
wurde ernst – und die ganze Gewalt ihrer strahlenden
Augen heftete sich auf mich mit einer solchen Stärke, daß
es war, als müßten sie auch ein totes Geschöpf an sich zu
reißen vermögend sein – und fuhr fort: »Ich will dich
von zehn Uhr bis Mitternacht erwarten und auch noch

später und immerfort, und die Tür unten wird offen sein. Erst findest du einen kleinen Gang, in dem halte dich nicht auf, denn da geht die Tür meiner Tante heraus. Dann stößt dir eine Treppe entgegen, die führt dich in den ersten Stock, und dort bin ich!« Und indem sie die Augen schloß, als ob ihr schwindelte, warf sie den Kopf zurück, breitete die Arme aus und umfing mich, und war gleich wieder aus meinen Armen und in die Kleider eingehüllt, fremd und ernst, und aus dem Zimmer; denn nun war völlig Tag.

Ich machte meine Einrichtung, schickte einen Teil meiner Leute mit meinen Sachen voraus und empfand schon am Abend des nächsten Tages eine so heftige Ungeduld, daß ich bald nach dem Abendläuten mit meinem Diener Wilhelm, den ich aber kein Licht mitnehmen hieß, über die kleine Brücke ging, um meine Freundin wenigstens in ihrem Laden oder in der daranstoßenden Wohnung zu sehen und ihr allenfalls ein Zeichen meiner Gegenwart zu geben, wenn ich mir auch schon keine Hoffnung auf mehr machte, als etwa einige Worte mit ihr wechseln zu können.

Um nicht aufzufallen, blieb ich an der Brücke stehen und schickte den Diener voraus, um die Gelegenheit auszukundschaften. Er blieb längere Zeit aus und hatte beim Zurückkommen die niedergeschlagene und grübelnde Miene, die ich an diesem braven Menschen immer kannte, wenn er einen meinigen Befehl nicht hatte erfolgreich ausführen können. »Der Laden ist versperrt«, sagte er, »und scheint auch niemand darinnen. Überhaupt läßt sich in den Zimmern, die nach der Gasse zu liegen, niemand sehen und hören. In den Hof könnte man nur über eine hohe Mauer, zudem knurrt dort ein großer Hund. Von den vorderen Zimmern ist aber eines erleuchtet, und man kann durch einen Spalt im Laden hineinsehen, nur ist es leider leer.«

Mißmutig wollte ich schon umkehren, strich aber doch noch einmal langsam an dem Haus vorbei, und mein Diener in seiner Beflissenheit legte nochmals sein Auge an den Spalt, durch den ein Lichtschimmer drang, und flüsterte mir zu, daß zwar nicht die Frau, wohl aber der Mann nun in dem Zimmer sei. Neugierig, diesen Krämer zu sehen, den ich mich nicht erinnern konnte, auch nur ein einziges Mal in seinem Laden erblickt zu haben, und den ich mir abwechselnd als einen unförmlichen dicken Menschen oder als einen dürren gebrechlichen Alten vorstellte, trat ich ans Fenster und war überaus erstaunt, in dem guteingerichteten vertäfelten Zimmer einen ungewöhnlich großen und sehr gut gebauten Mann umhergehen zu sehen, der mich gewiß um einen Kopf überragte und, als er sich umdrehte, mir ein sehr schönes tiefernstes Gesicht zuwandte, mit einem braunen Bart, darin einige wenige silberne Fäden waren, und mit einer Stirn von fast seltsamer Erhabenheit, so daß die Schläfen eine größere Fläche bildeten, als ich noch je bei einem Menschen gesehen hatte. Obwohl er ganz allein im Zimmer war, so wechselte doch sein Blick, seine Lippen bewegten sich, und indem er unter dem Aufundabgehen hie und da stehenblieb, schien er sich in der Einbildung mit einer anderen Person zu unterhalten: einmal bewegte er den Arm, wie um eine Gegenrede mit halb nachsichtiger Überlegenheit wegzuweisen. Jede seiner Gebärden war von großer Lässigkeit und fast verachtungsvollem Stolz, und ich konnte nicht umhin, mich bei seinem einsamen Umhergehen lebhaft des Bildes eines sehr erhabenen Gefangenen zu erinnern, den ich im Dienst des Königs während seiner Haft in einem Turmgemach des Schlosses zu Blois zu bewachen hatte. Diese Ähnlichkeit schien mir noch vollkommener zu werden, als der Mann seine rechte Hand emporhob und auf die emporgekrümmten Finger mit Aufmerksamkeit, ja mit finsterer Strenge hinabsah.

Denn fast mit der gleichen Gebärde hatte ich jenen erhabenen Gefangenen öfter einen Ring betrachten sehen, den er am Zeigefinger der rechten Hand trug und von welchem er sich niemals trennte. Der Mann im Zimmer trat dann an den Tisch, schob die Wasserkugel vor das Wachslicht und brachte seine beiden Hände in den Lichtkreis, mit ausgestreckten Fingern: er schien seine Nägel zu betrachten. Dann blies er das Licht aus und ging aus dem Zimmer und ließ mich nicht ohne eine dumpfe zornige Eifersucht zurück, da das Verlangen nach seiner Frau in mir fortwährend wuchs und wie ein um sich greifendes Feuer sich von allem nährte, was mir begegnete, und so durch diese unerwartete Erscheinung in verworrener Weise gesteigert wurde, wie durch jede Schneeflocke, die ein feuchtkalter Wind jetzt zertrieb und die mir einzeln an Augenbrauen und Wangen hängenblieben und schmolzen.

Den nächsten Tag verbrachte ich in der nutzlosesten Weise, hatte zu keinem Geschäft die richtige Aufmerksamkeit, kaufte ein Pferd, das mir eigentlich nicht gefiel, wartete nach Tisch dem Herzog von Nemours auf und verbrachte dort einige Zeit mit Spiel und mit den albernsten und widerwärtigsten Gesprächen. Es war nämlich von nichts anderem die Rede als von der in der Stadt immer heftiger um sich greifenden Pest, und aus allen diesen Edelleuten brachte man kein anderes Wort heraus als dergleichen Erzählungen von dem schnellen Verscharren der Leichen, von dem Strohfeuer, das man in den Totenzimmern brennen müsse, um die giftigen Dünste zu verzehren, und so fort; der Albernste aber erschien mir der Kanonikus von Chandieu, der, obwohl dick und gesund wie immer, sich nicht enthalten konnte, unausgesetzt nach seinen Fingernägeln hinabzuschielen, ob sich an ihnen schon das verdächtige Blauwerden zeige, womit sich die Krankheit anzukündigen pflegt.

Mich widerte das alles an, ich ging früh nach Hause und legte mich zu Bette, fand aber den Schlaf nicht, kleidete mich vor Ungeduld wieder an und wollte, koste es, was es wolle, dorthin, meine Freundin zu sehen, und müßte ich mit meinen Leuten gewaltsam eindringen. Ich ging ans Fenster, meine Leute zu wecken, die eisige Nachtluft brachte mich zur Vernunft, und ich sah ein, daß dies der sichere Weg war, alles zu verderben. Angekleidet warf ich mich aufs Bett und schlief endlich ein.

Ähnlich verbrachte ich den Sonntag bis zum Abend, war viel zu früh in der bezeichneten Straße, zwang mich aber, in einer Nebengasse auf und nieder zu gehen, bis es zehn Uhr schlug. Dann fand ich sogleich das Haus und die Tür, die sie mir beschrieben hatte, und die Tür auch offen, und dahinter den Gang und die Treppe. Oben aber die zweite Tür, zu der die Treppe führte, war verschlossen, doch ließ sie unten einen feinen Lichtstreif durch. So war sie drinnen und wartete und stand vielleicht horchend drinnen an der Tür wie ich draußen. Ich kratzte mit dem Nagel an der Tür, da hörte ich drinnen Schritte: es schienen mir zögernd unsichere Schritte eines nackten Fußes. Eine Zeit stand ich ohne Atem, und dann fing ich an zu klopfen: aber ich hörte eine Mannesstimme, die mich fragte, wer draußen sei. Ich drückte mich ans Dunkel des Türpfostens und gab keinen Laut von mir: die Tür blieb zu, und ich klomm mit der äußersten Stille, Stufe für Stufe, die Stiege hinab, schlich den Gang hinaus ins Freie und ging mit pochenden Schläfen und zusammengebissenen Zähnen, glühend vor Ungeduld, einige Straßen auf und ab. Endlich zog es mich wieder vor das Haus: ich wollte noch nicht hinein; ich fühlte, ich wußte, sie würde den Mann entfernen, es müßte gelingen, gleich würde ich zu ihr können. Die Gasse war eng; auf der anderen Seite war kein Haus, sondern die Mauer eines Klostergartens: an der drückte ich mich hin und suchte von gegenüber das

Fenster zu erraten. Da loderte in einem, das offen stand, im oberen Stockwerk, ein Schein auf und sank wieder ab, wie von einer Flamme. Nun glaubte ich alles vor mir zu sehen: sie hatte ein großes Scheit in den Kamin geworfen wie damals, wie damals stand sie jetzt mitten im Zimmer, die Glieder funkelnd von der Flamme, oder saß auf dem Bette und horchte und wartete. Von der Tür würde ich sie sehen und den Schatten ihres Nackens, ihrer Schultern, den die durchsichtige Welle an der Wand hob und senkte. Schon war ich im Gang, schon auf der Treppe; nun war auch die Tür nicht mehr verschlossen: angelehnt, ließ sie auch seitwärts den schwankenden Schein durch. Schon streckte ich die Hand nach der Klinke aus, da glaubte ich drinnen Schritte und Stimmen von mehreren zu hören. Ich wollte es aber nicht glauben: ich nahm es für das Arbeiten meines Blutes in den Schläfen, am Halse, und für das Lodern des Feuers drinnen. Auch damals hatte es laut gelodert. Nun hatte ich die Klinke gefaßt, da mußte ich begreifen, daß Menschen drinnen waren, mehrere Menschen. Aber nun war es mir gleich: denn ich fühlte, ich wußte, sie war auch drinnen, und sobald ich die Türe aufstieß, konnte ich sie sehen, sie ergreifen und, wäre es auch aus den Händen anderer, mit einem Arm sie an mich reißen, müßte ich gleich den Raum für sie und mich mit meinem Degen, mit meinem Dolch aus einem Gewühl schreiender Menschen herausschneiden! Das einzige, was mir ganz unerträglich schien, war, noch länger zu warten.

Ich stieß die Tür auf und sah: In der Mitte des leeren Zimmers ein paar Leute, welche Bettstroh verbrannten, und bei der Flamme, die das ganze Zimmer erleuchtete, abgekratzte Wände, deren Schutt auf dem Boden lag, und an einer Wand einen Tisch, auf dem zwei nackte Körper ausgestreckt lagen, der eine sehr groß, mit zuge- decktem Kopf, der andere kleiner, gerade an der Wand hingestreckt, und daneben der schwarze Schatten seiner Formen, der emporspielte und wieder sank.

Ich taumelte die Stiege hinab und stieß vor dem Haus auf zwei Totengräber: der eine hielt mir seine kleine Laterne ins Gesicht und fragte mich, was ich suche, der andere schob seinen ächzenden, knirschenden Karren gegen die Haustür. Ich zog den Degen, um sie mir vom Leibe zu halten, und kam nach Hause. Ich trank sogleich drei oder vier große Gläser schweren Weins und trat, nachdem ich mich ausgeruht hatte, den anderen Tag die Reise nach Lothringen an.

Alle Mühe, die ich mir nach meiner Rückkunft gegeben, irgend etwas von dieser Frau zu erfahren, war vergeblich. Ich ging sogar nach dem Laden mit den zwei Engeln; allein, die Leute, die ihn jetzt innehatten, wußten nicht, wer vor ihnen darin gesessen hatte.

M. de Bassompierre, Journal de ma vie, Köln 1663. –
Goethe, Unterhaltungen deutscher Ausgewanderten.

*Aus den ›Unterhaltungen
deutscher Ausgewanderten‹*

Seit fünf oder sechs Monaten hatte ich bemerkt, so oft ich über die kleine Brücke ging – denn zu der Zeit war der Pont neuf noch nicht erbaut – daß eine schöne Krämerin, deren Laden an einem Schilde mit zwei Engeln kenntlich war, sich tief und wiederholt vor mir neigte und mir so weit nachsah, als sie nur konnte. Ihr Betragen fiel mir auf; ich sah sie gleichfalls an und dankte ihr sorgfältig. Einst ritt ich von Fontainebleau nach Paris, und als ich wieder die kleine Brücke heraufkam, trat sie an ihre Ladenthüre und sagte zu mir, indem ich vorbeiritt: Mein Herr, Ihre Dienerin! Ich erwiderte ihren Gruß, und indem ich mich von Zeit zu Zeit umsah, hatte sie sich weiter vorgelehnt, um mir so weit als möglich nachzusehen.

Ein Bedienter nebst einem Postillon folgten mir, die ich noch diesen Abend mit Briefen an einige Damen nach Fontainebleau zurückschicken wollte. Auf meinen Befehl stieg der Bediente ab und ging zu der jungen Frau, ihr in meinem Namen zu sagen, daß ich ihre Neigung, mich zu sehen und zu grüßen, bemerkt hätte; ich wollte, wenn sie wünschte mich näher kennen zu lernen, sie aufsuchen, wo sie verlangte.

Sie antwortete dem Bedienten, er hätte ihr keine bessere Neuigkeit bringen können; sie wollte kommen, wohin ich sie bestellte, nur mit der Bedingung, daß sie eine Nacht mit mir unter Einer Decke zubringen dürfte.

Ich nahm den Vorschlag an und fragte den Bedienten, ob er nicht etwa einen Ort kenne, wo wir zusammenkommen könnten? Er antwortete, daß er sie zu einer gewissen Kupplerin führen wollte, rathe mir aber, weil die Pest sich hier und da zeige, Matratzen, Decken und Leintücher aus meinem Hause hinbringen zu lassen. Ich nahm den Vorschlag an, und er versprach, mir ein gutes Bett zu bereiten.

Des Abends ging ich hin und fand eine sehr schöne Frau von ungefähr zwanzig Jahren, mit einer zierlichen Nachtmütze, einem sehr feinen Hemde, einem kurzen Unterrocke von grünwollenem Zeuge. Sie hatte Pantoffeln an den Füßen und eine Art von Pudermantel übergeworfen. Sie gefiel mir außerordentlich, und da ich mir einige Freiheiten herausnehmen wollte, lehnte sie meine Liebkosungen mit sehr guter Art ab, und verlangte, mit mir zwischen zwei Leintüchern zu sein. Ich erfüllte ihr Begehren und kann sagen, daß ich niemals ein zierlicheres Weib gekannt habe, noch von irgend Einer mehr Vergnügen genossen hätte. Den andern Morgen fragte ich sie, ob ich sie nicht noch einmal sehen könnte, ich verreise erst Sonntag: und wir hatten die Nacht vom Donnerstag auf den Freitag mit einander zugebracht.

Sie antwortete mir, daß sie es gewiß lebhafter wünsche als ich; wenn ich aber nicht den ganzen Sonntag bliebe, sei es ihr unmöglich; denn nur in der Nacht vom Sonntag auf den Montag könne sie mich wiedersehen. Als ich einige Schwierigkeiten machte, sagte sie: Ihr seid wohl meiner in diesem Augenblicke schon überdrüssig und wollt nun Sonntags verreisen; aber Ihr werdet bald wieder an mich denken und gewiß noch einen Tag zugeben, um eine Nacht mit mir zuzubringen.

Ich war leicht zu überreden, versprach ihr den Sonntag zu bleiben und die Nacht auf den Montag mich wieder an dem nämlichen Orte einzufinden.

Darauf antwortete sie mir: Ich weiß recht gut, mein Herr, daß ich in ein schändliches Haus um Ihrentwillen gekommen bin; aber ich habe es freiwillig gethan, und ich hatte ein so unüberwindliches Verlangen, mit Ihnen zu sein, daß ich jede Bedingung eingegangen wäre. Aus Leidenschaft bin ich an diesen abscheulichen Ort gekommen, aber ich würde mich für eine feile Dirne halten, wenn ich zum zweiten Mal dahin zurückkehren könnte. Möge ich eines elenden Todes sterben, wenn ich außer meinem Mann und euch irgend Jemand zu Willen gewesen bin und nach irgend einem Andern verlange! Aber was thäte man nicht für eine Person, die man liebt, und für einen Bassompierre? Um seinetwillen bin ich in das Haus gekommen, um eines Mannes willen, der durch seine Gegenwart diesen Ort ehrbar gemacht hat. Wollt Ihr mich noch einmal sehen, so will ich euch bei meiner Tante einlassen.

Sie beschrieb mir das Haus aufs Genaueste und fuhr fort: Ich will Euch von zehn Uhr bis Mitternacht erwarten, ja noch später; die Thüre soll offen sein. Erst findet Ihr einen kleinen Gang; in dem haltet Euch nicht auf; denn die Thüre meiner Tante geht da heraus. Dann stößt Euch eine Treppe sogleich entgegen, die Euch ins erste Geschoß führt, wo ich Euch mit offenen Armen empfangen werde.

Ich machte meine Einrichtung, ließ meine Leute und meine Sachen vorausgehen und erwartete mit Ungeduld die Sonntagsnacht, in der ich das schöne Mädchen wiedersehen sollte. Um zehn Uhr war ich schon am bestimmten Orte. Ich fand die Thüre, die sie mir bezeichnet hatte, sogleich, aber verschlossen, und im ganzen Hause Licht, das sogar von Zeit zu Zeit wie eine Flamme aufzulodern schien. Ungeduldig fing ich an zu klopfen, um meine Ankunft zu melden; aber ich hörte eine Mannsstimme, die mich fragte, wer draußen sei?

Ich ging zurück und einige Straßen auf und ab. Endlich zog mich das Verlangen wieder nach der Thüre. Ich fand sie offen und eilte durch den Gang die Treppe hinauf. Aber wie erstaunt war ich, als ich in dem Zimmer ein paar Leute fand, welche Bettstroh verbrannten, und bei der Flamme, die das ganze Zimmer erleuchtete, zwei nackte Körper auf dem Tische ausgestreckt sah. Ich zog mich eilig zurück und stieß im Hinausgehen auf ein paar Todtengräber, die mich fragten, was ich suchte? Ich zog den Degen, um sie mir vom Leibe zu halten, und kam, nicht unbewegt von diesem seltsamen Anblick, nach Hause. Ich trank sogleich drei bis vier Gläser Wein, ein Mittel gegen die pestilenzialischen Einflüsse, das man in Deutschland sehr bewährt hält, und trat, nachdem ich ausgeruht, den andern Tag meine Reise nach Lothringen an.

Alle Mühe, die ich mir nach meiner Rückkunft gegeben, irgend etwas von dieser Frau zu erfahren, war vergeblich. Ich ging sogar nach dem Laden der zwei Engel; allein die

Miethleute wußten nicht, wer vor ihnen darin gesessen hatte. Dieses Abenteuer begegnete mir mit einer Person von geringem Stande, aber ich versichere, daß ohne den unangenehmen Ausgang es eines der reizendsten gewesen wäre, deren ich mich erinnere, und daß ich niemals ohne Sehnsucht an das schöne Weibchen haben denken können.

Aus den ›Memoiren des
Marschalls von Bassompierre‹

Je partis un soir de la court et veux dire une aventure quy me survint, quy, pour n'estre de grande conséquence, est néanmoins extravagante. Il y avoit quatre ou cinq mois que, toutes les fois que je passois sur le petit pont (car en ce temps là le Pont Neuf n'estoit point fait) qu'une belle femme, lingere à l'enseigne des deux Anges, me faisoit de grandes reverences, et m'accompagnoit de la veue autant qu'elle le pouvoit, et comme j'eus pris garde a son action, je la regardois aussy, et la saluois avesques plus de soin. Il avint que, lorsque j'arrivay de Fontainebleau à Paris, allant sur le petit pont, des qu'elle m'aperceut venir, elle se mit sur l'entrée de sa boutique, et me dit, comme je passois: »Monsieur, je suis votre servante très humble.« Je lui rendis son salut, et, me retournant de temps en temps, je vis qu'elle me suyvoit de la veue aussi longtemps qu'elle pouvoit. J'avois mené un de mes laquais en poste, pour le renvoyer le soir mesme avesques des lettres pour Antragues et pour une autre dame de Fontainebleau. Je le fis lors descendre et donner son cheval au postillon pour le mener, et l'envoyay dire à cette jeune femme que, voyant la curiosité qu'elle avoit de me voir et de me saluer, sy elle desiroit une plus particuliere veue, j'offrois de la voir ou elle me le diroit. Elle dit a ce laquais que c'estoit la meilleure nouvelle que l'on luy sceu apporter, et qu'elle iroit ou je voudrois, pourveu que ce fut a condition de coucher entre deux draps avesques moy. J'acceptay le party, et dis a ce laquais, s'il connoissoit quelque lieu ou la mener, qu'il le fit: il me dit qu'il connoissoit une maquerelle, nommée Noiret, cheux quy il la meneroit, et que sy je voulois qu'il portat des matelas, des draps, et des couvertes de mon logis, qu'il m'y appresteroit un bon lit. Je le trouvay bon, et, le soir, j'y allay et trouvay une tres belle femme, agée de vingt ans, quy estoit coiffee de nuit, n'ayant qu'une tres fine chemise sur elle, et une petite juppe de revesche* verte, et des mules aux pieds, avesques une peignoir sur elle. Elle me pleut bien fort, et, me voulant jouer avesques elle, je ne luy sceus faire resoudre sy je ne me mettois dans le lit avesques elle, ce que je fis; et elle s'y estant jettée en un instant, je m'y mis incontinent apres, pouvant dire n'avoir jamais veu femme plus jolie, ny quy m'ait donné plus de plaisir pour une nuit: laquelle finie, je me levay et lui demanday sy je ne la pourrois voir encores une autre fois, et que je ne partirois que dimanche, dont cette nuit la avoit esté celle du jeudy ou vendredy. Elle me respondit qu'elle le souhaitoit plus ardemment que moi, mais qu'il luy estoit impossible si je ne demeurois tout dimanche, et que la nuit de dimanche au lundy elle me verroit: et comme je luy en faisois difficulté, elle me dit: »Je crois que maintenant que vous estes las de cette nuit passée, vous avés dessein de partir dimanche; mais quand vous vous serés reposé, et que vous songerés à moi, vous serés bien ayse de demeurer un jour davantage pour me voir une nuit.« En fin je fus aysé a persuader, et luy dis que je luy donnerois cette journée

---

* Eine Art von Flanell, nach der Ausgabe von Chantérac.

pour la voir la nuit au mesme lieu. Allors elle me repartit :
»Monsieur, je scay bien que je suis en un bordel infame,
ou je suis venue de bon cœur pour vous voir, de quy je suis
si amoureuse, que pour jouir de vous, je crois que je vous
l'eusse permis au millieu de la rue plustost que de m'en
passer. Or une fois n'est pas coutusme; et forcée d'une
passion, on peut venir une fois dans le bordel; mais ce
seroit estre garce publique d'y retourner la seconde fois.
Je n'ay jamais connu que mon mary, et vous, ou que je
meure miserable, et n'ay pas dessein d'en connestre jamais
d'autre: mai que ne feroit on point pour une personne que
l'on ayme, et pour un Bassompierre? C'est pourquoy je
suis venue au bordel; mais ça esté avesques un homme quy
a rendu ce bordel honorable par sa presence. Sy vous me
voulés voir une autre fois, ce pourra estre cheux une de
mes tantes, quy se tient en la rue du Borg l'Abbé, proche
de celle des Ours, a la troisième porte du costé de la rue
Saint-Martin. Je vous y attendray depuis dix heures jusques a minuit, et plus tard encores, et laisseray la porte
ouverte, ou, a l'entrée, il y a une petite allée que vous
passerés viste; car la porte de la chambre de ma tante y
respond; et trouverés un degré quy vous menera a ce
second estage.« Je pris le party, et ayant fait partir le reste
de mon train, j'attendis le dimanche pour voir cette jeune
femme. Je vins a dix heures, et trouvay la porte qu'elle
m'avoit marquée, et de la lumière bien grande, non seule-
ment au second estage, mais au troisieme et au premier
encores; mais la porte estoit fermée. Je frappay pour
avertir de ma venue; mais j'ouis une voix d'homme quy
me demanda quy j'estois. Je m'en retournay a la rue aux
Ours, et estant revenu pour la seconde fois, ayant trouvé
la porte ouverte, j'entray jusques a ce second estage, ou je
trouvay que cette lumiere estoit la paille des lits, que l'on
y brusloit, et deux corps nus estendus sur la table de la
chambre. Alors je me retiray bien estonné, et en sortant,

je rencontray des corbeaux* quy me demanderent ce que je cherchois; et moy pour les faire escarter, mis l'espée a la main, et passay outre. M'en revenant a mon logis, un peu esmeu de ce spectacle inopiné, je beus trois ou quattre verres de vin pur, quy est un remede d'Allemaigne contre la peste presente et je m'endormis pour m'en aller en Lorraine le lendemain matin, comme je fis; et quelque diligence que j'aye sceu faire depuis pour apprende ce qu'estoit devenue cette femme, je n'en ay jamais sceu rien sçavoir. J'ay esté mesmes aux deux Anges, ou elle logeoit, m'enquerir quy elle estoit; mais les locataires de ce logis la ne m'ont dit autre chose, sinon qu'ils ne savoint point quy estoit l'ancien locataire. Je vous ay voulu dire cette aventure, bien qu'elle soit de personne de peu; mais elle estoit sy jolie que je l'ay regrettée, et eusse desiré pour beaucoup de la pouvoir revoir.

---

* Männer, die die Pestkranken wegtrugen. Während mehrerer Monate dieses Jahres herrschte in Paris eine ansteckende Krankheit. (Anmerkung von Chantérac.)

Nachwort

Das Märchen der 672. Nacht

Als Hofmannsthal »Das Märchen der 672. Nacht« schrieb,
las er die Erzählungen von »Tausend und einer Nacht«
noch einmal – ein Buch, das er später mit einer großen
Stadt verglich, »geheimnisvoll und drohend und verlok-
kend«, wo es ihm »unheimlich zu Herzen und sehnsüchtig«
war (Prosa II, 311). Das »Märchen« wurde im April 1895
vollendet, als Hofmannsthal einundzwanzig Jahre alt war;
er gab ihm den Untertitel »Geschichte des Kaufmannssohnes und seiner vier Diener«. Laut Katharina Mommsen*
ist die Erzählung eine Art Huldigung an das berühmte
Buch, das ihn so tief beeindruckt hatte. Weder in der Fabel
noch im Detail besteht indessen eine Ähnlichkeit zwischen Hofmannsthals Erzählung und der 672. Nacht der
orientalischen Sammlung. Die Bezeichnung 672. Nacht
kommt aber nicht ganz von ungefähr. In der Fassung von
»1001 Nacht«, die Hofmannsthal kannte**, hatten die Erzählungen zwischen der 568. und der 885. Nacht keine
Nummern, da hier Teile des arabischen Manuskripts ver-
lorengegangen waren, so daß Geschichten aus anderen
Quellen verwendet worden sind, um die Lücke auszufül-
len. Hofmannsthal wählte (immer noch nach Katharina
Mommsen) eine Zahl gerade aus diesem Abschnitt, um

* In einem unveröffentlichten Vortrag »Hofmannsthal und der Orient«.
** »Tausend und Eine Nacht«. Arabische Erzählungen. Deutsch von
Max Habicht, Fr. von der Hagen und Carl Schall. Neu herausgegeben
von Karl Martin Schiller. Leipzig, 1926.

damit anzudeuten, daß seine Geschichte vom Kaufmannssohn gleichsam eine der »verlorenen« Erzählungen darstellt. In dieser esoterischen und spielerischen Form hat
er, so könnte man schließen, darauf hingewiesen, daß er
nicht einfach eine der Geschichten nacherzählte, sondern
in der Rolle eines orientalischen Märchenerzählers etwas
Eigenes schuf.

Man kann Hofmannsthals Geschichte als eine moderne
Parallele zu den Erzählungen von den Kaufmannssöhnen
ansehen; der Gegensatz zwischen einem geschützten Dasein und einem Leben, das den Gefahren und Drohungen
der Welt ausgesetzt ist, hat auch viele Entsprechungen
in seiner eigenen Zeit und Generation. In seiner Einleitung zur Ausgabe der »Erzählungen aus den Tausend-
undein Nächten« (Insel-Verlag, 1907/08) heißt es: »wie
glichen wir diesen weit von der Heimat verirrten Prinzen,
diesen Kaufmannssöhnen, deren Vater gestorben ist, und
die sich den Verführungen des Lebens preisgeben, wie
meinten wir ihnen zu gleichen« (Prosa II, 311). In einem
Brief an seinen Vater untertreibt er den symbolischen
Gehalt seiner Geschichte, weist jedoch immer noch auf
denselben Zusammenhang hin, indem er auch Maeterlinck einbezieht:

Mir ist nicht eingefallen, mit der Geschichte etwas anderes zu »meinen«, als mit jeder Lokalnotiz in den Ta-
gesblättern gemeint ist. Nur wenn man das Menschen-
leben so ansieht wie in der Maeterlinckschen Szene, die
Du mir geschickt hast, der alte Greis, der die ruhig
dasitzende Familie durchs Fenster ansieht, kommt
einem eben die Märchenhaftigkeit des Alltäglichen zum
Bewußtsein, das Absichtlich-Unabsichtliche, das
Traumhafte. Das hab' ich einfach ausdrücken wollen
und deswegen diese merkwürdige Unbestimmtheit
gesucht, durch die man beim oberflächlichen Hin-

schauen glaubt, Tausendundeine Nacht zu sehen und, genauer betrachtet, wieder versucht wird, es auf den heutigen Tag zu verlegen. (Briefe I, 169f.)

Hier betont Hofmannsthal die Verwandlung des Alltäglichen ins Traumhafte: er wählt für seine Handlung einen anonymen Raum, in dem das frei Erfundene zugleich tiefere Bezüge zum zeitgenössischen Erleben suggerieren soll.

Die Geschichte ist in zwei Teile gegliedert: der erste Teil schildert das Leben eines jungen, reichen und schönen Kaufmannssohnes, der die Eltern verloren und sich vom Umgang mit anderen Menschen zurückgezogen hat, um als mystischer Ästhet sich der Betrachtung der schönen Dinge zu widmen, mit denen er sich umgeben hat, und der doch ein Gefühl der Leere nicht unterdrücken kann. Er denkt oft an seinen Tod, den er in romantischer Weise als die höchste Erfüllung seines Lebens sieht. Besonders intensiv denkt er an ihn in den Zeiten narzißtischer Selbstbetrachtung.

Die vier Diener werden lediglich von seinem Blickpunkt aus geschildert; er schätzt sie hoch, aber seine Teilnahme an ihrem Leben erschöpft und quält ihn. Weder kann er sich ihnen gegenüber objektiv und ungezwungen verhalten noch kann er sich in selbstloser Liebe von seiner Befangenheit befreien. Er verliebt sich nicht in seine Dienerin und spürt kein Verlangen nach ihr; er weicht aus und ersetzt ihre Schönheit durch etwas, das ihn weniger beunruhigt. Er ist fast krankhaft empfindlich seinen Dienern gegenüber, denn ihr Leben scheint ihm wirklicher als sein eignes Leben; er wird zum Opfer seiner Empfindsamkeit. Dieses seltsame Bewußtsein findet eine genaue Parallele in Hofmannsthals Jugenderlebnissen. In einem Brief vom 30. Mai 1892 an Edgar Karg von Bebenburg schreibt er:

Siehst Du, ich rede mit sehr viel gescheiten, ja unge-
wöhnlichen Menschen und brauche nur bis zu meinem
Kasten zu gehen, so find ich genug tiefe und faszinie-
rende und fortreißende Bücher, um mich bis zur Selbst-
vergessenheit daran zu verlieren, so daß die Gedanken
und die Empfindungen der Bücher und der Menschen
manchmal meine Gedanken und Empfindungen vollständig auslöschen und sich selbst an ihre Stelle setzen:
denn nicht wir haben und halten die Menschen und
Dinge, sondern sie haben und halten uns. Dabei kommt
man sich freilich nicht leer vor, aber was noch viel unheimlicher ist: man ist wie ein Gespenst bei hellem
Tage, fremde Gedanken denken in einem, alte, tote,
künstliche Stimmungen leben in einem, man sieht die
Dinge wie durch einen Schleier, wie fremd und aus-
geschlossen geht man im Leben herum, nichts packt,
nichts erfüllt einen ganz: endlich bricht doch etwas
menschliches, etwas ursprüngliches durch. Bei mir ists
jetzt eine grenzenlose, heftige Sehnsucht nach Natur,
nicht nach träumerischem Anschaun, sondern nach
tätigem Ergreifen der Natur, nach Wandern, Jagen,
womöglich nach Bauernleben.

Dieses Zitat läßt sich mit dem Tagebucheintrag vom
10. Oktober 1906 vergleichen, der wichtige autobiogra-
phische Erinnerungen enthält und worin folgender auf-
schlußreicher Satz steht: »Meine Phantasie und mein Gemüt waren in Gefahr, sich an den fremden Existenzen,
mit denen sie sich beladen hatten, zu überheben, wie Foh-
len, wenn sie zu früh vor den Pflug gespannt werden«
(Aufz., 152).
Die vier genau und anschaulich dargestellten Diener sind
fast wie Gestalten in einem Drama von Maeterlinck, dessen Werke Hofmannsthal gekannt hat (Brief vom 21. Juli
1892): die zwei älteren Leute bewegen sich lautlos dem

Tod entgegen, die jungen Mädchen wachsen in ein enges und freudeloses Dasein hinein. Man kann sich schwer vorstellen, daß sie je miteinander sprechen. Sie leben in einer dauernden schweigenden Wachsamkeit. Sie folgen ihrem Herrn mit einem Blick, der ihn oft wie ein Vorwurf oder eine Herausforderung unsicher macht. Das Fehlen jeden Dialogs betont seine Vereinsamung. Auf traumhafte Weise, wie bei Maeterlinck, fühlt er sich von der Schwere ihres Lebens fast körperlich bedrückt, und weil sie seine menschliche Unzulänglichkeit zu spüren scheinen, wird er von einer Lebensangst erfüllt, von der er sich nur befreien kann, wenn er mit ihnen in einem Raum zusammen ist. Diese fürchterliche Beklemmung und »tödliche Angst vor der Unentrinnbarkeit des Lebens« beherrscht den zweiten Teil der Geschichte.

In diesem zweiten Teil wird der Kaufmannssohn aus seiner Zurückgezogenheit heraus und auf einen verschlungenen Pfad zu einem gemeinen Tod gelockt; alle Ereignisse sind in einer unheilvollen, traumhaften, unerbittlichen Logik miteinander verbunden. Die Leute, denen er begegnet, die Straßen und Gärten der Stadt, seine eigenen Gedanken verbünden sich, ihn in seine tiefsten Ängste zu verstricken und ihn matt und erschöpft dem Tod auszuliefern. Die düstere Häßlichkeit der fremden Umgebung erinnert an das Chaos, das Hofmannsthal im Tagebuch als »totes dumpfes Hinlungern der Dinge im Halblicht« bezeichnet (Aufz., 124) oder an das »Medusenhafte des Lebens« (Aufz., 99). Als er im Glashaus die Haare des Mädchens streichelt, verliert er durch die liebende Gebärde einen Augenblick lang das Gefühl des Grauens, aber es kommt zurück und überwältigt ihn. Der Kopf des häßlichen Pferdes erinnert ihn an ein entstelltes Gesicht, das er einmal gesehen hat, und dieser Gedanke vertreibt das Mitleid, das er für den Soldaten fühlt. Diese flackernden Gedanken und Assoziationen, die seine Willenskraft und Handlungsfähigkeit lähmen, sind für den Kaufmannssohn typisch: er kann sich nicht dagegen wehren, sowenig wie der Wachtmeister Lerch in der »Reitergeschichte«. Aus einem flüchtigen Gedanken entspringt die unwillkürliche Gebärde mit ihrer tödlichen Folge. Sein Gesicht ist im Augenblick des Todes boshaft und verzerrt wie das Gesicht des Pferdes, das ihm den tödlichen Huftritt versetzt. Jetzt erweist sich der frühere Abschnitt, in dem er einen schönen Tod für sich voraussieht, als ironisch, ebenso wie die Sprichwörter, die er stolz und voller Zuversicht zitiert hat: »Wo du sterben sollst, dahin tragen dich deine Füße« und »Wenn das Haus fertig ist, kommt der Tod«. Der Schluß ist viel strenger und unerbittlicher als in seinen früheren Werken. In »Der Tor und der Tod« hatte Hofmannsthal Claudio geprüft und verurteilt, aber Claudios Tod war mit Dionysos und Venus verwandt und war wirklich »angefüllt mit der wundervollen Beute des Lebens«, wie der Kaufmannssohn sich ihn vorstellt. In dem »Märchen« werden das romantische Bild des Todes und die abstoßende Wirklichkeit des Todes einander schroff gegenübergestellt.

Der Autor gibt keinen Kommentar zu der Handlung, die er erzählt, und deshalb muß der Leser auch das Verhältnis zwischen den beiden Teilen der Geschichte selbst erkennen. Obwohl der Kaufmannssohn im zweiten Teil, sobald er in der Stadt ist, nur impulsiv und ohne Plan zu handeln scheint, wird doch der Eindruck der Zufälligkeit aufgehoben; der Kaufmannssohn wird unerbittlich dorthin gebracht, wo sein Tod ihn erwartet. Sollen wir also den Zusammenhang zwischen den beiden Teilen in dem Walten eines bösen Geschicks sehen, das mit seinem Opfer spielt? Es würde ihn dann ein schönes Leben führen lassen, es würde ihn ein schönes Ende erträumen lassen, nur zu dem Zweck, ihn zu betrügen und ihn am Faden seiner eigenen Gefühle, Assoziationen und Erinnerungen zu einem schrecklichen Tod zu leiten. Man könnte die Geschichte so lesen, aber die Tatsache, daß Hofmannsthal das innere Leben des jungen Mannes so genau dargestellt hat, weist auf eine enge Verbindung zwischen seinem Charakter und der Handlung hin. Diese Verbindung hat Hofmannsthal in einem Brief an Richard Beer-Hofmann vom 15. Mai 1895 selbst konstatiert: »Das Fallen der Karten aber erzwingt man von innen her; das ist das Tiefe, Große, Wahre, wovon dem Poldy seine Geschichte ein hilfloses und mein Märchen ein kindlich rohes, allegorisches Zeichen sein soll«*. Hofmannsthal erkannte, daß Leopold von Andrian (Poldy) in seiner Erzählung »Der Garten der Erkenntnis«, die in demselben Jahr wie das »Märchen« erschien, dasselbe Thema behandelte. Andrian schildert einen jungen Fürsten, dem ein Leben vorschwebt, »in dem man das Schönste, was es gab, in den schönsten und vielfältigsten Formen genoß«, der sich im Leben und in der Wirklichkeit nicht engagieren will und der, »ohne erkannt zu haben«, stirbt. Man kann Hofmannsthals Geschichte in ihrer fast hypnotisierenden Wirkung mit Andrians blutloser, blasser Erzählung sonst nicht vergleichen, aber der Brief an Beer-Hofmann zeigt, daß der scheinbare Mißklang zwischen dem schönen Leben und dem schrecklichen Tod des Kaufmannssohnes in Wirklichkeit ein Zusammenklang ist. Seine Auffassung des Sprichworts »Wo du sterben sollst, dahin tragen dich deine Füße« und die Wahrheit, die es ausdrückt, stehen zueinander in ironischem Kontrast. Wenn aber dieser Tod gerade als Gegensatz zu diesem Leben *paßt*, dann muß die Idee des Urteils oder der Vergeltung in die Interpretation eingeführt werden. Die Zurückgezogenheit des Kaufmannssohnes ist ambivalent; er liebt die schöne Form und spürt zugleich ihre Nichtigkeit; er ist innerlich

* H. v. Hofmannsthal – R. Beer-Hoffmann, Briefwechsel. Frankfurt a. M. 1972, S. 48.

reich, und doch quält ihn ein Gefühl der Unzulänglichkeit. Dieser Dualismus ist die Grundstruktur der Geschichte. Eine ästhetische Lebensweise wird dargestellt,
um dann verurteilt zu werden. In seinem glänzenden Aufsatz »Hofmannsthals Wandlung« (1949) macht Richard
Alewyn das durch einen Hinweis auf Oscar Wildes
Schicksal klar. In »De Profundis« (Erstdruck 1905) lesen
wir: »In jedem Augenblick unsres Lebens sind wir nicht
nur das, was wir gewesen sind, sondern ebensosehr auch
das, was wir sein werden.«* Hofmannsthals Aufsatz über
Oscar Wilde, *Sebastian Melmoth* (1905), enthält folgenden
Abschnitt:

> Es hat gar keinen Sinn so zu sprechen, als ob Oscar
> Wildes Schicksal und Oscar Wildes Wesen zweierlei
> gewesen wären und als ob das Schicksal ihn so angefal-
> len hätte wie ein bissiger Köter ein ahnungsloses Bau-
> ernkind, das einen Korb mit Eiern auf dem Kopf trägt.
> Man sollte nicht immer das Abgegriffenste sagen und
> denken.
> Oscar Wildes Wesen und Oscar Wildes Schicksal sind
> ganz und gar dasselbe. Er ging auf seine Katastrophe
> zu, mit solchen Schritten wie Ödipus, der Sehend-
> Blinde ... Unablässig forderte er das Leben heraus.
> Er insultierte die Wirklichkeit. Und er fühlte, wie das
> Leben sich duckte, ihn aus dem Dunkel anzuspringen.
> (Prosa II, 135)

Im Gegensatz zu Wilde beleidigt der Kaufmannssohn das
Leben nicht bewußt; er ist ein sanfter Träumer und
Schlafwandler im Vergleich mit dem Ästheten der be-
wußten Sinnlichkeit. Statt Oscar Wildes »feasting with
panthers« zeigt uns Hofmannsthal ein einsames und stilles

---

* »At every single moment of one's life one is what one is going to be
no less than what one has been.«

Dasein und ein krankhaft introvertiertes Gemüt. Der unreife Kaufmannssohn, mit seiner ständigen Regression in die Kindheit, läßt sich eher mit jenen schattenhaften Figuren in d'Annunzios Romanen vergleichen, die Hofmannsthal in dem folgenden Satz beschreibt: »alle haben einen gemeinsamen Grundzug: jene unheimliche Willenslosigkeit, die sich nach und nach als Grundzug des in der gegenwärtigen Literatur abgespiegelten Lebens herauszustellen scheint, jenes Erleben des Lebens nicht als eine Kette von Handlungen, sondern von Zuständen.« (Prosa I, 174)

Man könnte meinen, daß der Kaufmannssohn, dessen Fehler nur Unterlassungssünden sind, dessen Schuld keine direkte Herausforderung des Lebens ist, von Hofmannsthal zu streng beurteilt wird. Für Hofmannsthal aber werden unzulängliche Menschen zugleich von der Fülle und der Öde des Lebens bedroht. Das hat er deutlich, vielleicht zu emphatisch, in dem zweiten Aufsatz über d'Annunzio ausgedrückt, den er im selben Jahr wie das »Märchen« schrieb:

Aber das Leben ist doch da. Es ist durch sein bloßes oppressives unentrinnbares Dasein unendlich merkwürdiger als alles Künstliche und unendlich kräftiger, und zwingt. Es hat eine fürchterliche betäubende Fülle und eine fürchterliche demoralisierende Öde. Mit diesen zwei Keulen schlägt es abwechselnd auf die Köpfe derer, die ihm nicht dienen. Die aber von Künstlichem zuerst herkommen, dienen ihm eben nicht. Über denen hängt das Leben drohend wie die Sturmwolke, und wie geängstigte Schafe laufen sie hin und her. (Prosa I, 244)

Hofmannsthals eigne Angst, dem Leben nicht »dienen« zu können, eine Angst, die mit seiner Gabe der Einfühlung in die Stimmungen und die Empfindsamkeit seiner Zeit zusammenhängt, erklärt vielleicht die Strenge des Märchens. Die Vergeltung kann man als eine Form der Selbstbestrafung ansehen, aber die Schilderung der Schönheit, für die der Kaufmannssohn empfänglich ist, verrät in ihrem Wohlklang und in der Höhe ihres Stils Hofmannsthals Sympathie und schließt eine ironische Haltung des Autors dem Helden gegenüber aus.

Eben durch sein Zurückweichen vor der Realität gerät der Kaufmannssohn – und das ist wichtig – in eine Welt des Alptraums. Wie Midas verwandelt er alles, was er berührt –, aber in Träume. In der zweiten Hälfte der Geschichte sehen wir also nicht die Realität, sondern eine leere Schattenwelt, so abstoßend und bedrohlich, wie sein bisheriges Leben schön war. Schnitzler meint, Hofmannsthal hätte alles das ausdrücken können, ohne den Kaufmannssohn sterben zu lassen. Er schreibt am 26. November 1895 an Hofmannsthal:

> ... die Geschichte hat nichts von der Wärme und dem Glanz eines Märchens, wohl aber in wunderbarer Weise das fahle Licht des Traums, dessen rätselhafte wie verwischte Übergänge, und das eigene Gemisch von Deutlichkeit der geringen und Blässe der besonderen Dinge, das eben dem Traum zukommt ... Ihre tiefere Bedeutung verliert die Geschichte durchaus nicht, wenn der Kaufmannssohn aus ihr erwacht, statt an ihr zu sterben; ich würde ihn sogar mehr beklagen: denn das Tödliche fühlen wir besser als den Tod.*

Andrerseits wird durch den Kontrast zwischen dem vorgestellten und dem wirklichen Tod die Symbolik erst vollendet. Der Tod ist wirklich, aber er bringt für den Helden keine Einsichten und keine Erkenntnis mit sich.

Margaret Jacobs, Oxford

* H. v. Hofmannsthal – A. Schnitzler, Briefwechsel. Frankfurt a. M. 1964, S. 63 f.

Reitergeschichte

Das Erlebnis des Marschalls von Bassompierre

Die »Reitergeschichte« und »Das Erlebnis des Marschalls von Bassompierre« sind die einzigen Novellen, die Hofmannsthal abgeschlossen hat, aber es sind nicht die einzigen, die er in den Jahren vor der Jahrhundertwende entworfen oder begonnen hat. Nachdem er sich in Gedichten und kleinen Dramen und in kritischer Prosa eine frühe Meisterschaft erworben hatte, beginnt er 1895 mit dem »Märchen der 672. Nacht« sich die erzählende Prosa zu erschließen. Er studiert ihre Meister von Boccaccio und Bandello über Goethe und Kleist bis zu Flaubert, Maupassant und Oscar Wilde und glaubt sich dem Formgesetz der Novelle auf der Spur, einem »Kunstgesetz, dessen voller Besitz einem möglich machen müsse, eine ganze Prosadichtung durch und durch als Form zu erkennen«. (Briefe I, 206) Stoffe aus der Gegenwart oder der jüngsten Vergangenheit drängen sich in seine Phantasie. Einige gedeihen zu Szenarien und Niederschriften, die im Nachlaß erhalten sind. Briefe nennen einige Titel, teilweise vermutlich vorläufige Arbeitstitel, wie »Die Novelle vom Sektionsrat«, »Die Geschichte der beiden Liebespaare«, »Die Geschichte des Freundes«, »Die Geschichte des Soldaten«, »Die Geschichte des Kadett-Offiziersstellvertreters«, »Die Geschichte von 1866«. Sie sollten »durchaus verschieden werden, die eine dünn und wie geredet, die andere sehr verklammert und unabwendbar, und eine dunkel und sehr rührend«. (Briefe I, 205) Aber sie sollten sich offenbar gegenseitig ergänzen und erhellen und so z. B. nachträglich »das Traumhafte der Geschichte vom Kaufmannssohn (d. i. das ›Märchen der 672. Nacht‹)« rechtfertigen.

Denn so wenig an dieser plötzlich aufsprießenden Produktion die Artistenfreude an der Meisterung einer alten und edlen Kunstform zu verkennen ist, so sehr dient sie doch auch, mit der verwirrenden Erfahrung fertig zu werden, der der Zweiundzwanzig- bis Vierundzwanzigjährige sich ausgesetzt fand, als er sich während seiner Militärzeit in den Jahren 1894/95 und 1896 plötzlich aus dem schönen und verwöhnten Wiener Leben in die elenden Quartiere und schmutzigen Dörfer mährischer und galizischer Garnisonen verbannt und damit der bedrükkenden Öde und Häßlichkeit des Lebens ausgeliefert sah.

Es ist bezeichnenderweise diese Zeit, in der Hofmannsthals Briefe von seinem »Märchen« und seinen Novellenplänen zuerst berichten. Das Geheimnisvolle und das Unheimliche der dunklen Nachtseite des Lebens ist das Element, aus dem sie geschöpft sind. Schon im »Märchen der 672. Nacht« hatte er in der kühlen und artistischen Manier Oscar Wildes erzählt, wie ein schönes Leben durch einen häßlichen Tod scheinbar sinnlos zerstört und rückwirkend in Frage gestellt wurde, so daß das Ende, weit entfernt, uns mit einer Antwort zu beruhigen, uns vielmehr mit einem Rätsel entläßt, in das sich ein Grauen mischt. Nicht anders verhält es sich mit der »Reitergeschichte« (1899) und dem »Erlebnis des Marschalls von Bassompierre« (1900).

Warum muß der Wachtmeister Anton Lerch sterben?
Warum muß er so sterben? Nicht den Tod, auf den er vorbereitet ist, einen glorreichen Heldentod im Gefecht, sondern niedergeschossen wie ein Hund von der Hand seines eigenen Kommandeurs, einen schimpflichen und unnützen, einen empörenden Tod?

Nichts davon ließ der Anfang der Geschichte vermuten. Die Erzählung des Ausritts der Eskadron in der blitzenden Morgenfrühe, ihrer so verwegenen wie glücklichen Streife durch das feindliche Revier, ihrer raschen Siege und ihrer reichen Beute, des kecken Trabs durch Mailand, die »große, schöne, wehrlos daliegende Stadt«, läßt alles andere erwarten, vielmehr eine der flotten und forschen Kriegsnovellen, wie Liliencron sie erzählt hatte, wo der Krieg ein sauberes Handwerk ist und das Gefecht ein ritterlicher Wettstreit, das keine andere Alternative läßt als Sieg oder Heldentod, das eine nicht weniger ehrenvoll und erhebend als das andere. Gewiß lauert auch bei dem Siegesritt der Eskadron Gefahr am Wege, in den Maisfeldern, in einer Villa, hinter einer Friedhofsmauer, in harmloser Verkleidung versteckt, Legionäre, Freischärler, ein Kurier – sie werden entdeckt und ausgehoben, niedergemacht oder gefangengenommen. Hier ist Gefahr, aber sie ist offen und greifbar und wird spielend bewältigt, so wie später gegen Abend noch das blutigste Gefecht. Hier ist Wagnis und Einsatz des Lebens, aber so wie sie zum Beruf des Soldaten gehören. Gegen sie ist, wie seine Eskadron, der Wachtmeister Lerch gerüstet mit Mut und Geschick. Er hat sie viele Male bestanden und ihnen sein Leben ausgesetzt, seiner Seele vermögen sie nichts anzuhaben.

Die Anfechtung, der er erliegt, kommt von einer unvermuteten Seite, gegen die er nicht gewappnet ist, und im unscheinbarsten Gewand. Mit dem unbewachten Augenblick, in dem der Wachtmeister Lerch einmal den Blick abseits schweifen läßt und, einer privaten Neugier nachgebend, seine militärische Einheit verläßt, um in ein neben der Straße liegendes Haus einzutreten, ist es um ihn geschehen.

Die Gelegenheit ist günstig genug, denn er reitet an der Queue seiner Eskadron, der Vorwand gerechtfertigt genug, denn sein Pferd hat sich einen Stein in das Hufeisen getreten, der Ort unschuldig genug, denn nicht nur das Haus, bei dem er absteigt, sondern auch der Raum, in den er hineinblickt, ist hell und gepflegt mit seinem Blumenschmuck und seinem mythologischen Zierat auf dem Mahagonischrank. Aber dem ersten Blick ist nur ein Teil des Zimmers übersehbar. Was sich im Spiegel bietet, ist weniger übersichtlich, aber darum um so suggestiver: ein weißes breites Bett und dahinter eine Tapetentür, durch die gerade eine Mannsperson in einen unbekannten Hintergrund verschwindet, aus dem man später Türen schlagen hört. Alles das kann völlig harmlos sein, aber, wie es hier erzählt wird, erhält es einen Anflug von undefinierbarer Zweideutigkeit, die von ganz anderer Natur ist als die versteckten und verkappten Gefahren, die der Siegesritt der Eskadron überrollt hatte.

Wer ist dieser so korpulente wie geschmeidige und so wohlrasierte Mann? Was hat er hier zu schaffen gehabt? Was ist seine Beziehung zu der Frau, die verlegen lächelnd in der halb geöffneten Türe steht? Diese Fragen werden nicht gestellt, geschweige beantwortet, aber sie drängen sich auf, und damit tut sich ein dunkler Hintergrund auf, der auch den hellen und harmlosen Vordergrund in ein Zwielicht rückt. Denn zwielichtig ist auch die »beinahe noch junge« Frau mit dem »etwas zerstörten Morgenanzug«, ihren gezierten Manieren, ihrer geschmeichelten Unterwürfigkeit, dem »warm und kühlen Nacken«, der weißen Haut und der Fliege, die sich auf ihrem Haarkamm so zu Hause zu fühlen scheint, die Frau, deren frühere Gestalt er in ihren üppiger gewordenen Formen wiedererkennt und an deren Namen er sich auf einmal erinnert.

Denn was den Wachtmeister Anton Lerch vom Wege gelockt hat, war das Frauengesicht am Fenster gewesen und damit eine Erinnerung, und diese Erinnerung steigt nun deutlicher auf: Abende, die er vor langer Zeit mit dieser Frau und ihrem damaligen »eigentlichen« Liebhaber in einer undurchsichtigen, aber gewiß nicht unangenehmen Rolle verbracht hat. Und diese Erinnerung, die ihn der Gegenwart entführt hat, verlockt ihn in eine noch ausschweifendere Zukunft. Damals war ein anderer der Begünstigte gewesen, nun aber, von seinem Kriegsglück berauscht, sieht er sich als den Sieger und Gebieter einer Haushaltung, in der er endlich einmal, statt immer nur zu gehorchen, selbst befehlen und sich bedienen lassen kann. Alle die Wünsche, die jahrelange militärische Zucht in ihm unterdrückt hatte, wachen in ihm auf, Wünsche nach Herrschaft und bürgerlicher Behaglichkeit, nach bequemem Genuß und schäbigem Gewinn. Es sind keine sehr glorreichen, vielmehr sehr subalterne Gelüste, aber sie steigen aus unbewußten Abgründen auf, überschwemmen sein Bewußtsein und entführen ihn der Gegenwart.

Unmerklich hat sich die Art der Erzählung verändert. Bisher hatte sie sich ausschließlich in der Gegenwart, ja im Augenblick aufgehalten, völlig von der äußeren Handlung in Anspruch genommen. Seit dem ersten Satz hatte sie mit der Knappheit und Genauigkeit eines militärischen Rapports Stunden und Orte, Namen und Zahlen genannt und hatte sich weder für ein Verweilen noch für ein Abschweifen Zeit gegönnt. Dadurch entstand ein Tempo, das in dem in einen einzigen Satz gerafften Bericht des

Ritts durch Mailand seinen Höhepunkt erreicht, allerdings auch schon durch die atemlose Aufzählung der vorüberjagenden Impressionen sich ins Rauschhafte gesteigert hatte. In dem Augenblick jedoch, in dem der Wachtmeister sich aus dem Verband der Eskadron löst, verlangsamt sich nicht nur die Erzählung und geht in Schilderung über, sondern sie verlagert auch ihr Bett aus der äußeren Wirklichkeit in den inneren Raum. Es werden nicht mehr nur sichtbare Gegenstände beschrieben, sondern es werden auch die Wirkungen berichtet, die sie auf ein Bewußtsein ausüben, und diese sind nun so gegenstandslos und phantastisch wie der vorhergegangene Bericht gegenständlich und genau gewesen war. Und mit der Gegenständlichkeit ist zugleich auch die Gegenwärtigkeit aufgehoben, die Phantasie schweift zurück in eine erinnerte Vergangenheit und vorwärts in eine vorweggenommene Zukunft.

Nach der Zeitrechnung können es nur ein paar Minuten gewesen sein, die der Wachtmeister im Haus Vuics verweilt hat. Die Ungeduld seines Pferdes weckt ihn wieder zur Gegenwart und zu seiner Pflicht. Aber er kehrt dorthin nicht zurück, ohne ein Wort zurückgelassen zu haben, dem eine eigentümliche Gewalt auf ihn selbst zugeschrieben wird, durch die ein Verhängnis besiegelt zu werden scheint. Um diesen Satz: »Das ausgesprochene Wort aber machte seine Gewalt geltend« völlig zu verstehen, muß man sich in anderen gleichzeitigen Werken Hofmannsthals Auskunft holen. Auch der Kaiser in »Der Kaiser und die Hexe« und Elis in »Das Bergwerk zu Falun« liefern sich durch ein einziges unbedacht gesprochenes Wort wie durch ein Verlöbnis einer dämonischen Zaubermacht aus und, wie dort die Hexe oder die Bergkönigin, so ist hier Vuic ihre Sendbotin.

Der Wachtmeister, der sich beeilt, seine Eskadron wieder einzuholen, ist nicht mehr der, der sie verlassen hat, und wenn er noch einmal den Anschluß findet, so ist er doch forthin ein Verlorener, der die Beute seiner schwärenden und schweifenden Wünsche geworden ist. Seine einmal geweckte Begehrlichkeit spiegelt ihm die Hoffnung auf billigen Ruhm und leichte Beute vor und verlockt ihn zum zweitenmal vom Wege in das jenseitige Zauberreich. Aber nun zeigt es ein anderes Gesicht. War es in seiner ersten Erscheinung noch zweideutig gewesen, mehr verlockend als bedrohend, so offenbart es nun seine gespenstische Gestalt.

Der einsame Ritt des Wachtmeisters durch das öde und verfallende Dorf ist die genaue Umkehrung des mittäglichen Siegesritts der »schönen Schwadron« durch das »große und schöne« Mailand, und die Welt, die er damit betritt, ist die völlige Umkehrung der hellen und heilen Welt, die er mit seiner Schwadron verlassen hat. Sie hat auch die ehrbare und bürgerliche Maske fallen lassen, die sie bei seinem ersten Seitensprung noch vorgetäuscht hatte. Es ist ein lichtloses Unterreich, das den Wachtmeister umfängt: die Straßen schmutzig, die Häuser verkommen, die wenigen Menschen stumm und stumpf, die Tiere häßlich und unrein in ihrer schamlosen Kreatürlichkeit, selbst das Spiel der jungen Hunde freudlos und ohne Anmut. Diese Welt ist ein Angsttraum, aber keiner von der, sei es wohlig, sei es sensationell gruseligen Art, wie die Romantik sie in ihren Nachtgesichten zu beschwören liebte, sondern seelenlos und ohne Zauber, ähnlich der Welt, in die der Kaufmannssohn des »Märchens der 672. Nacht« sich verirrt und in der er zugrunde geht.

Es ist kein Zweifel, daß Hofmannsthals Erfahrungen während seiner Militärdienstzeit auf diese Schilderungen, wie überhaupt auf das kavalleristische Milieu der »Reitergeschichte« abgefärbt haben. Sogar ein Wachtmeister Lerch kommt namentlich in einem der Briefe (Briefe I, 168) vor. Aber auch das Schauspiel eines Auflaufs von

Hunden, wie er es in einem dieser Briefe beschreibt, ist nahezu wörtlich in die Erzählung übergegangen: »15 Hunde, alle häßlich, Mischungen von Terriers und Bauernkötern, übermäßig dicke Hunde, läufige Hündinnen, ganz junge, schon groß, mit weichen, ungeschickten Gliedern, falsche Hunde, verprügelte und demoralisierte, auch stumpfsinnige, alle schmutzig, mit häßlichen Augen ...« (ebenda, S. 164) ebenso wie »die elenden verwilderten Bauernköter«, die aus jeder elenden Lehmhütte zwischen die Pferde fahren (ebenda S. 202), und der »glitschige Boden«, auf dem sein Pferd einmal ausgerutscht ist (ebenda).

Somit gehen wir nicht fehl, wenn wir auch den seelischen Druck, den die »umgebende Öde und Häßlichkeit« (ebenda, S. 195) auf ihn ausübt, in unserer Geschichte wiedererkennen: »Ich begreife nicht, wie all diese Dinge eine solche Gewalt über mich haben können« (ebenda, S. 184) und: »Ich bin mir so verlassen vorgekommen wie nie im Leben, auch von mir selber verlassen« (ebenda, S. 136) und »Ich verliere manchmal den Glauben, den inneren spontanen, selbstverständlichen Glauben an die Realität meines Ich« (ebenda, S. 139) und abermals: »Ich korrigiere hier meinen Begriff vom Leben: von dem, was das Leben für die meisten Menschen ist: es ist viel freudloser, viel niedriger, als man gerne denkt, noch viel niedriger« (ebenda, S. 182).

Aber nicht nur Stimmungen sind diesen Erfahrungen entlehnt, auch Deutungen können wir ihnen entnehmen, die unter die psychologische in eine symbolische Schicht hinunterreichen. Um die gleiche Zeit (12. VII. 1895) notiert sich Hofmannsthal in sein Tagebuch: eine Wendung, die genau auf den Zustand des gespenstischen Dorfes paßt: »totes dumpfes Hinlungern der Dinge im Halblicht«. Er tut dies unter dem Stichwort »Chaos« und schickt einen anderen merkwürdigen Ausspruch voraus: »Magie:

Fähigkeit, Verhältnisse mit Zauberblick zu ergreifen, Gabe, das Chaos durch Liebe zu beleben« (Aufzeichnungen, S. 124). Ist es das, was dem Weltzustand fehlt, den das verlassene Dorf darstellt, die Belebung durch die Magie der Liebe? Und paßt darum auch auf ihn das Wort, mit dem die oben zitierte Beschreibung der trübseligen Hundegesellschaft abgeschlossen wird: »Darin lagen alle Mächte des Lebens und seine ganze erstickende Beschränktheit, daß es von sich selbst hypnotisiert ist«?

Lautlos, wortlos scheint diese Welt in sich selbst befangen. Weit entfernt, Hoffnung oder Heil zu erwarten, verhält sie sich dem Fremden gegenüber noch nicht einmal feindselig oder herausfordernd. Sie nimmt von seiner Anwesenheit überhaupt keine Notiz. Die verwahrloste Frauensperson, die vor seinem Pferde hergeht, so nahe, daß ihr entblößter Nacken von seinem Arm kaum ferner ist als der Vuics es war, macht sich noch nicht einmal die Mühe, ihm aus dem Wege zu gehen, geschweige sich umzudrehen und ihm ihr Gesicht zu zeigen. Und nur der alte Dachshund sieht ihn »müde und traurig« an mit dem flehenden Blick der unerlösten Kreatur.

Hier ist keine Gefahr, der man zu Leibe gehen könnte, kein leibhafter Feind, der sich – in jedem Sinne – »angreifen« ließe. Was hier von dem Wachtmeister gefordert wird, ist nicht physischer Mut, sondern Seelenkraft, und dieser Herausforderung ist er nicht gewachsen, sondern wehrlos ausgeliefert. Es bedeutet nichts als diese Ohnmacht, daß seine Pistole ihren Dienst versagt, als er sie verwenden will, um sich Bahn zu schaffen. Und die gleiche Lähmung hat sich seines Pferdes bemächtigt. Anstatt des scharfen Galopps, in dem er – wie die Straßen Mailands – auch das elende Dorf zu durchqueren gedacht hatte, hat ihm gleich zu Anfang das schlüpfrige Pflaster einen langsamen Schritt aufgenötigt, und fortan hat sich das Pferd nur mühsam weitergeschleppt, als drohte es dem seelischen Druck zu erliegen, und alle Versuche, es zu einem schnelleren Tritt anzuspornen, sind erfolglos geblieben.

Wäre es nicht um das Pferd, so müßten wir überhaupt zweifeln, ob diese Vision – so peinlich die Sachlichkeit ist, mit der sie beschrieben wird – nicht überhaupt eine Ausgeburt seines Wahns ist. Aber ist dieses Pferd überhaupt etwas anderes als er selbst? Ist es nicht – wie man mit Recht gesagt hat (M. Gilbert) – sein unbewußtes Wissen? Und ist es nicht auch das Pferd, das zuerst das Abenteuer wittert, das am Ausgang des Dorfes, wo er sich schon dem Bann entronnen glauben konnte, auf ihn wartet, das Ungewohnteste und das Entsetzlichste, das überhaupt ihm begegnen konnte: sein eigenes Selbst?

Spätestens hier wird es offenbar, daß der Ort, an dem dies geschieht, nicht der gewöhnlichen Wirklichkeit angehört. Er liegt ja offenbar auch außerhalb der normalen Zeit, denn als er daraus wieder auftaucht, heißt es: »ihm war, als hätte er eine unmeßbare Zeit mit dem Durchreiten des widerwärtigen Dorfes verbracht«. Es liegt auch offensichtlich außerhalb des Raumes. Denn während alle anderen Orte in dieser Geschichte so genau bezeichnet werden, daß man sie auf der Landkarte wiederfinden könnte, trägt dieses Dorf als einziges keinen Namen. Es ist nicht eine irdische Wirklichkeit, die der Wachtmeister hier durchreitet, sondern eine Landschaft der Seele, die Landschaft seiner öden verwahrlosten Seele.

Die Begegnung mit dem Doppelgänger, so will es der Volksglaube, ist das Vorzeichen des Todes, und ein mit dem Tode Gezeichneter bleibt der Wachtmeister seit seinem Ritt durch diese Unterwelt, auch nachdem die Wiederbegegnung mit den ahnungslosen Gemeinen Holl und Scarmolin ihn in die Wirklichkeit zurückversetzt hat und die hellen Trompetensignale ihn noch einmal aus dem Zauberkreis erlöst zu haben scheinen. Die greifbare physische Gefahr ist nach dem Angsttraum eine Befreiung, vielleicht die letzte Chance einer Reinigung. Aber was hilft es ihm, daß dem noch Schlaftrunkenen das Glück im Taumel des Gefechts wie im Traum die köstliche Beute zuspielt, nach der ihn verlangt hatte? Es ist gerade diese Beute, die seinen Untergang besiegeln wird.

Abermals verlangsamt sich das Tempo, wie schon bei der Beschreibung des Ritts durch das Dorf, nur daß hier wiederum erzählt wird, wo vorher geschildert worden war. Als die Eskadron sich wieder versammelt, ist die Sonne, die am Morgen glänzend über den Feldern gelegen hatte, die am Mittag an dem metallenen Himmel gestanden hatte, die am Nachmittag über die Dorfmulde schon schwere Schatten geworfen hatte, wieder am Horizont angelangt, und die Röte, in die sie den Schauplatz taucht, mischt sich mit der Röte des Bluts an den Waffen.

Der viermalige Sieg hat die Eskadron in eine fiebrige Erregung versetzt, eine Hochstimmung, die gerechtfertigt und unschuldig erscheint. Wie trügerisch dieser Schein ist, bemerken wir zu spät, als sich der Donnerschlag entlädt, der den Wachtmeister zu Boden streckt.

Diese Handlung ist brutal und ungeheuerlich. Mag der Befehl, die erbeuteten Pferde auszulassen, ein Gebot der militärischen Vernunft sein, mag auch das Kriegsrecht die Insubordination vor dem Feinde mit dem Tode bedrohen und dem Kommandeur gestatten, das Urteil unverzüglich mit eigener Hand zu vollstrecken, so besteht doch in diesem Falle keine zwingende Notwendigkeit, und das Maß der Strafe steht in keinem vernünftigen Verhältnis zu der Größe des Vergehens. Was auch immer beim Tod des Wachtmeisters walten möge, mit Vernunft und Gerechtigkeit hat es wenig zu tun. Ist es darum ein sinnloser Zufall?

Alles kommt darauf an, zu verstehen, was in den beiden Menschen in diesem Moment vorgeht, in dem sie sich Auge in Auge gegenüberstehen. Sie sind sich keine

Fremden, der Wachtmeister und der Rittmeister. Sie haben viele Jahre eng miteinander gelebt. Immer war der Rittmeister gewohnt gewesen, Befehle auszugeben, der Wachtmeister, sie auszuführen. Aber was sich nun hier zwischen beiden ereignet, als aufflackernde Unbotmäßigkeit auf der einen, als jähe Gewalttat auf der anderen Seite, ist mehr als der Impuls einer Sekunde, es hat eine nicht weniger lange Vorgeschichte, die älter ist als die Ereignisse dieses Tags, der uns erzählt worden ist, eine Vorgeschichte, die so alt ist wie ihr Zusammenleben, ja älter als dieses. Aber es ist auch mehr als nur die Beziehung von zwei Menschen, die hier in Frage steht. Hofmannsthal ist es gelungen, diese Sekunden, die der Rittmeister mit gehobener Pistole abzählt, mit einer Spannung zu laden, als ob in diesem Augenblick das Schicksal der ganzen Welt in der Schwebe hänge. (Ein ebensolcher ist zwanzig Jahre später in Hofmannsthals »Großem Welttheater« der Augenblick, in dem der Bettler mit erhobener Axt dasteht, um die irdische Ordnung der Welt zu zertrümmern.)

Das Gedrückte und Hündische, das in seinem Gesicht aufflackert, hat sich angesammelt in Jahren des Gehorchens. Aber es wird nun weggeschwemmt von dem »bestialischen Zorn«, der »aus einer ihm selbst völlig unbekannten Tiefe seines Innern« aufsteigt, die zum ersten Male freigesetzt wird durch die Erlebnisse des Tages. Nun zum ersten Male sieht er vor sich den Mann, den er so oft gesehen hat, aber wie er ihn noch nie gesehen hat, den Mann mit dem vornehmen Namen, mit den gepflegten Händen, den feinen Manieren, der eleganten Lässigkeit, der hochmütig leisen Stimme, der verächtlichen Oberlippe und den verschleierten Augen. Diese Auflehnung ist nicht nur älter als dieser Augenblick, sie richtet sich auch gegen mehr als diesen Befehl, sondern gegen »das ganze Dasein dieses Menschen«.

Und der Rittmeister? Es wird kein Spalt seiner Seele geöffnet. Ob in ihm »etwas Ähnliches vorging« oder ob sich für ihn in diesem Augenblicke stummer Insubordination nur »die ganze lautlos um sich greifende Gefährlichkeit kritischer Situationen zusammenzudrängen schien, bleibt im Zweifel«. Indem der Dichter vorgibt, nicht eingeweiht zu sein, lädt er den Leser zu Mutmaßungen ein, ob nicht gerade die unter der Lässigkeit der Gebärde versteckte Maßlosigkeit der Handlung darauf schließen läßt, daß auch bei ihm in der »ihm selbst völlig unbekannten Tiefe seines Innern« sich etwas angesammelt hat, was sich in diesem Augenblick entlädt, wo er zum ersten Male statt des gefügigen Werkzeugs der frechen Auflehnung ins Gesicht sehen muß. Dann wäre auch seine Handlung zwar gewiß nicht vorbedacht, aber doch auch nicht unvorbereitet.

Erkennt er in dem jungen, schönen und eitel tänzelnden Pferd, dessen Besitz dem Manne vor ihm nicht zukommt, erkennt er in dessen rechtmäßigem Besitzer mit dem jungen und blassen Gesicht, dem der Wachtmeister so brutal die Spitze seines Säbels in die Kehle gejagt hat, seinesgleichen wieder? Fühlt auch er zum ersten Male nicht nur sein Leben gefährdet, sondern seine ganze Existenz in Frage gestellt? Erkennt auch er in der Aufsässigkeit des Wachtmeisters zum ersten Mal die unbewußte und unbewältigte Bedrohung, den Aufstand des Gemeinen gegen das Vornehme, des Häßlichen gegen das Schöne, des Vitalen gegen das Dekadente? Sieht er das nur mit der Verachtung, die allein er sich zu verraten glaubt, oder auch mit Haß oder gar mit Angst? Und ist nicht gerade die Brutalität seines Handelns ein Eingeständnis seiner Schwäche?

Dies alles »bleibt im Zweifel«, und damit ist gesagt, daß auch die Geschichte der Rittmeister geschrieben werden müßte. Die Deutung des Verhältnisses von Wachtmeister und Rittmeister ist nicht leicht zu erschöpfen, und man müßte die vielen Stellen und Werke befragen, in denen Hofmannsthal die Begegnung mit der unbewältigten Unterwelt oder ihren Aufruhr geschildert hat, am drastischsten und als soziale Erhebung im »Geretteten Venedig« und im »Turm«, am innerlichsten in der Beziehung zwischen Andreas und Gotthilff im »Andreas«. Aber es gibt auch eine Perspektive, in der die beiden Gestalten als die Spaltungen eines einzigen Wesens erscheinen und ihr Gegensatz als die äußere Projektion eines inneren Konflikts.

Der Erzähler verweigert, wie jeden Ausdruck der Anteilnahme, so auch jede Interpretation. Er begnügt sich damit, die äußeren Vorgänge zu berichten. Aber diese Vorgänge sind so ungewöhnlich, ihre Kontraste so gewaltig und ihr Ende so erschreckend, daß im Leser eine Beunruhigung zurückbleibt, die ihn nötigt, nach dem Sinn zu fragen.

So knapp und sachlich und ungerührt, wie sie begonnen hatte, endet die Erzählung. Die Auflehnung und die Exekution des Wachtmeisters bleibt eine Episode in den zahlreichen Kampfhandlungen dieses Tages, über die der Rittmeister nach seiner Rückkehr einen Rapport erstatten wird, der zu den Akten gelegt werden wird. Mit diesem Gewaltakt ist für den Augenblick die Gefahr gebannt. Die Pistole des Rittmeisters hat nicht versagt wie die des Wachtmeisters. Aber bedeutet dieser Schuß wirklich eine echte »Katharsis«? Gleicht er nicht mehr einer Vergewaltigung als einer Bewältigung? Eine wirkliche Beruhigung will sich nicht einstellen, eine Beklommenheit bleibt zurück.

Der Wachtmeister jedoch war bei seinem Tode gar nicht mehr anwesend gewesen. Sein Bewußtsein war schon wieder entführt gewesen von den gaukelnden Bildern einer trivialen Behaglichkeit, die seinem ganzen bisherigen Leben fremd gewesen war und die eben darum in einem unbewachten Augenblick die Oberhand über ihn gewinnen konnte, so daß sie ihn, verlockend und lähmend, in einen schimpflichen Tod hineinzogen, der noch rückwärts einen dunklen Schatten wirft auf ein braves und ehrbares Leben.

Das Erlebnis des Marschalls von Bassompierre

Vieles ist anders in der Liebesgeschichte als in der Soldatengeschichte. Sie spielt nicht in einer offenen Landschaft, sondern in den Straßen und Häusern der Stadt, nicht bei Tage, sondern fast nur bei Nacht. Sie wird nicht von einem anonymen Erzähler berichtet, sondern als das Erlebnis eines Miterlebenden und Überlebenden, der nur sich selbst von innen sehen kann – dazu aber wenig geneigt ist –, alles andere aber nur von außen und daher selbst auf Deutungen angewiesen ist, deren Fragwürdigkeit ihm bewußt ist. Damit wird aber noch verstärkt, was das Gemeinsame zwischen den beiden Geschichten ist: das Rätselhafte des Geschehens und das Gefühl der Unsicherheit, das es auslöst. Gemeinsam aber ist beiden vor allem der Einbruch einer dunklen und tödlichen Macht in ein geordnetes Leben.

Der Kern der Erzählung ist von Hofmannsthal nicht erfunden. Schon Goethe hatte sie aus Memoiren, die der Marschall von Bassompierre, einer der Kriegs- und Frauenhelden aus den Zeiten Heinrichs IV. und Ludwigs XIII., hinterlassen hatte, für seine Novellensammlung »Unterhaltungen deutscher Ausgewanderten« (1794) ausgehoben. Er hatte sich mit leichten, wenn auch bezeichnenden Änderungen begnügt. Bei Hofmannsthal ist die Erzählung von der leidenschaftlichen Liebe und dem erschreckenden Tod der schönen Krämerin auf den vierfachen Umfang gewachsen. Er hat durch viele kleine Zutaten, Nebenfiguren und Gegenstände, unauffällig und ohne Stilbruch der Erzählung Kolorit und Atmosphäre gegeben. Er hat die Lücken der Handlung aufgefüllt. Er hat der Krämerin einen Mann gegeben, der ihrer würdig ist, und er hat vor allem dem »schönen Weiblein« Goethes (und Bassompierres) ein Gesicht und eine Seele geschenkt. Er hat die Lichter und die Schatten, die Lust und das Grauen verstärkt und damit der halb galanten, halb makabren, aber trockenen Anekdote Farbe und Tiefe verliehen.

Auch der »Bassompierre« ist die Geschichte eines Abenteuers mit tödlichem Ausgang und wiederum ist dieser Tod von Rätseln umwittert, durch die ein ganzes Leben, ja das Leben überhaupt in Frage gestellt wird. Mehr noch als in der »Reitergeschichte« haben Ort und Zeit daran ihren Anteil. Zum Unterschied von dem Schicksal des Wachtmeisters, das sich an einem Sommertage unter freiem Himmel zwischen Sonnenaufgang und Sonnenuntergang vollzieht, ereignet sich das Erlebnis des Marschalls von Bassompierre in der Stadt und im Winter und – von der kurzen Einleitung abgesehen – bei Nacht.

Es sind drei Nächte, von denen erzählt wird: die Nacht der Liebe, die Nacht des Todes und zwischen ihnen die Nacht der Begegnung mit dem Gatten der Krämerin. Alles, was wir in dieser Geschichte sehen, ist dem Dunkel abgewonnen, dem bergenden Dunkel der Heimlichkeit in der ersten, dem drohenden Dunkel der Unheimlichkeit in der letzten und dem zweideutigen Dunkel des Geheimnisses in der mittleren Nacht. Von diesem Dunkel sind alle Gestalten und Vorgänge unausweichlich umzingelt, und an ihm bricht sich alles Licht, das in dieser Geschichte angezündet wird.

Entrückte Heimlichkeit, erhöht durch Geheimnis, ist das

Dunkel der Liebesnacht. Hofmannsthal hat aus dem Dutzend Zeilen, mit dem in seiner Vorlage diese Begegnung abgetan wird (und von dem die gute Hälfte nur der Einleitung gehört), sechs Seiten gemacht, von denen die erste Hälfte dem Geschehen, die zweite den Gesprächen zwischen den Liebenden gewidmet ist. Er hat dieses Geschehen wiederum in drei Abschnitte gegliedert: die erste Umarmung und die zweite und das Erwachen zum Tag.

Das Geschehen ist wortlos. Nur durch die Augen Bassompierres offenbart die Unbekannte ihr Wesen, nur durch ihr Dasitzen oder Dastehen oder Gehen, durch eine Bewegung ihres Armes, einen Ausdruck ihres Gesichts, einen Blick der Augen, ein Zucken ihrer Lippen. Nur in ihren Mienen und Gebärden spricht sich alles aus: ihr Warten, ihr Zögern, ihre Hingabe, ihre Entzückung und ihre Seligkeit, aber auch die Schönheit, die Unbedingtheit und die Unbegreiflichkeit ihres Wesens. Aber wenn wir das alles sehen, dann danken wir es dem Brand im Kamin, der das stumme Tun der Liebenden und ihre Gestalten beleuchtet, und der mit seinem wechselnden Auflodern und Niedersinken die Phasen der Leidenschaft begleitet und bezeichnet, bis das letzte Scheit, das mit verstärkter Gewalt aufgelodert war, erloschen und die Nacht abgelöst ist durch den durch die Ritzen der Läden unerbittlich hereinsickernden Morgen.

Das ist freilich ein anderes Licht als der Feuerbrand im Kamin und, was hier anbricht, ist auch nicht nur ein Tag, so wenig es nur eine Nacht ist, was damit endet. Was da draußen die Liebesnacht ablöst, ist ein »farbloser, wesenloser Wust, in dem sich zeitlose, wesenlose Larven hin bewegen mochten« wie die zwei vorüberschlurfenden Gestalten mit ihrem knirschenden und ächzenden Karren, vor denen die junge Frau unwillkürlich erschrickt und sich abkehrt. Dieser Tag ist nicht nur indiskret, er ist auch seelenlos und wesenlos, nicht so häßlich und widrig wie das Unterreich, durch das Anton Lerch reitet, aber von der gleichen gespensterhaften Beschaffenheit.

Er ist seelenlos, und er ist tödlich. Mit dem Dunkel hat er auch die Heimlichkeit zerrissen, in der sich die Liebe geborgen hat, und mit ihr den bewußtlosen Rausch, der die Liebenden dem Ort und der Zeit und den Verhältnissen ihres Lebens entrückt hat. Was hilft es, daß sie die Läden fester schließen und an Stelle des ausgebrannten Kamins eine Kerze anzünden und die übriggebliebene Hälfte des Apfels miteinander verzehren? Ist es noch der Apfel der Liebe oder vielmehr der der Erkenntnis? Mit dem Zwielicht beginnt die Zweideutigkeit, und an Stelle des stummen Tuns treten nun die Worte und mit ihnen die Mißverständnisse und die Zweifel.

Es ist nicht bedeutungslos, daß die Verstimmungen beginnen – nicht zwar mit der Frage nach dem Wiedersehen als solchem, aber mit der Frage nach seiner Zeit und seinem Ort, den Kategorien der Wirklichkeit, denen der Rausch der Nacht sie entrückt hat. Ob erst am Sonntag oder einem früheren Tag, an dieser Frage entzündet sich das erste Mißverständnis, denn in ihr verstecken sich die Schwierigkeiten, durch die sie getrennt werden, die Verpflichtungen und die Verhältnisse, in denen jeder von ihnen lebt und von denen sie gegenseitig so gar nichts wissen. Und an der Frage des Orts entzündet sich das noch ungleich schwerwiegendere Mißverständnis der Person.

Wer ist denn eigentlich die junge Krämerin? Der Marschall hatte sie nicht danach gefragt, und sie hatte sich nicht erklärt. Hätte es sich nur um ein galantes Abenteuer und nur um eine Nacht gehandelt, so wäre diese Mühe auch entbehrlich gewesen. Und in dieser Erwartung war der Marschall zu dem Stelldichein gekommen. Als ein Abenteurer ist er in den Raum getreten und noch die erste

Umarmung hat er, zerstreut von den Geschäften des Tages, gedankenlos erlebt und ist nicht nur übermüdet darüber eingeschlafen. Es konnte ihm dabei noch geschehen, daß er die Frau in seinem Arm »mit einer anderen aus früherer Zeit« verwechselte. Noch ist sie für ihn nicht mehr als eine der vielen Frauen, deren Gunst er genossen hat, und noch nicht die einmalige Person, so wie er für sie nur Bassompierre ist und kein anderer, der einzige auf der Welt, für den sie zu tun imstande wäre, was sie tut.

Erst als er wieder erwachte, »sah« er sie zum ersten Male (»Nun sah ich erst recht, wie groß und schön sie war«), und nun erst ist die Vereinigung vollkommen. Es ist ein unmerklicher grammatischer Wechsel, der dies anzeigt. Bis zu dieser Stelle unterschied die Rede des Erzählers sorgfältig zwischen »sie« und »ich«. Nun endlich heißt es auf einmal und für eine Zeitlang nur noch »wir« und »unser«: »daß der Feuerschein über *uns* hinschlug, wie eine Welle, die an der Wand sich brach, und *unsere* umschlungenen Schatten jäh emporhob und wieder sinken ließ.« Dieses »wir« erlebt noch gemeinsam den anbrechenden Tag, teilt sich dann wieder in ein »sie« und »ich« und stellt sich zum letzten Male her bei dem gemeinsamen Essen des Apfels, um dann unwiderruflich auseinanderzufallen. Aber für eine kurze Frist war die Flamme auf den Mann übergeschlagen und die Verschmelzung des Abenteurers in einen Liebenden geschehen.

Aber so schnell ließ sich der »Vorsprung« (G. Schaeder) nicht einholen, um den sie mit ihrer langsam gereiften seiner eben erst erwachten Liebe voraus ist. Der erfahrene Lebemann ist ihr gegenüber noch ungeschickt wie ein Anfänger. Die Rollen haben sich verkehrt. Gedankenlos und nicht ohne Herablassung war der Marschall auf die Einladung des »hübschen Weibchens« (wie es noch bei Goethe, nicht mehr bei Hofmannsthal heißt) eingegangen, ohne sich mehr zu versprechen als eine vergnügliche Nacht. Nun sieht er sich überrascht durch eine Unbedingtheit der Hingabe und durch eine Überlegenheit des Gefühls, die ihn beschämt und verwirrt, und der er noch nicht gewachsen ist.

Seinen peinlichen Rückstand offenbart nun das Gespräch am Morgen. Wie kleinlich ihm selbst die Abhaltungen erscheinen, durch die er sich erst verhindert glaubt, seine Abreise um einen Tag zu verschieben, zeigt die Schnelligkeit, mit der er sich berichtigt. Aber unvergleichlich viel kränkender ist für sie die Zumutung, sich ein zweites Mal in »dieses Haus da« zu begeben, dessen wahren Namen sie kennt, aber nicht über die Lippen bringt. Bei der ersten Einladung konnte er noch, bei der zweiten darf er nicht mehr sie so mißverstehen. Hat er nicht bemerkt, daß es nicht etwa ein Gradmesser ihrer Leichtfertigkeit, sondern vielmehr ihrer Liebe und ihres Mutes ist, daß sie sich dazu bereit gefunden hat, dieses Haus zu betreten? Hat er doch schon bei seinem Kommen bemerkt, wie »meilenfern« die Wirtin dieses Hauses von ihren Gedanken ist. Muß er sie die Zweideutigkeit ihres Handelns auch noch fühlen lassen? Und warum muß sie ihm das alles erst sagen? Warum läßt er sie so weit gehen, die Wahrheit ihrer Worte beschwören zu müssen bei der Strafe eines elenden Todes? Wie vorher in der Liebe, versagt er nun im Glauben.

Aber, was weiß er denn von ihr? Hat sie sich ihm nicht schamlos angeboten? Hat sie sich nicht in dieses Haus bestellen lassen? Hat sie sich ihm nicht ohne Zögern hingegeben? Wie kann er wissen, daß dies – anders als für ihn – für sie nicht ein Abenteuer ist, etwas, was sie niemals vorher getan hat und niemals wieder tun wird und für keinen anderen Menschen tun würde als für ihn? Was weiß er von ihrer Person, von ihren Verhältnissen, woher sie kommt und wohin sie wieder gehen wird, wenn sie ihn verläßt, was weiß er davon, der noch nicht einmal ihren Namen zu wissen scheint?

In dem Widerstreit zwischen der Erfahrung seines Gefühls und dem Glauben seiner Vernunft, weiß er das erlösende Wort nicht zu finden, das der Größe ihres Opfers angemessen wäre. Er flüchtet sich in eine beschwichtigende und nichtssagende Gebärde. Und wenn diese sie zu befriedigen scheint und sie zu einem Taumel köstlichen und kindlichen Übermuts erlöst, dann ist er wiederum überreich und über Verdienst beschenkt. Aber ahnt er hinter dem ausgelassenen Spiel die Seelenstärke und den Schicksalsernst, ahnt er, was es bedeutet, wenn sie für einen Augenblick wie im Schwindel die Augen schließt, daß sie wie eine Schlafwandlerin einen tödlichen Weg geht? Nichts davon ist gesagt, nur daß die »fremd und ernst« ist, die sich aus seinen Armen löst und in das Dunkel verschwindet, aus dem sie gekommen ist und nicht mehr zurückkehren wird.

Hofmannsthal hat es vermieden, die Trennung mit Vorzeichen und Vorahnungen auszustatten. Aber der lakonische Satz: »Denn nun war völlig Tag« beschließt diese Episode mit dem Siegel der Unwiderruflichkeit.

Was bei Bassompierre und Goethe dieser Nacht ohne mehr als den flüchtigen Übergang folgt, ist die Nacht des Todes. Wenn Hofmannsthal diesen Zwischenraum auffüllt, geschieht es nicht, um die Schroffheit des Kontrasts zu mildern, eher schon, um den Abgrund durch Verstrebungen zu überbrücken, vor allem aber, um, wie vorher die junge Frau, nun auch ihren Liebhaber zu beseelen und zugleich das Geheimnis zu vertiefen. Die in der Vorlage mit einem Satz übersprungene Zwischenzeit erhält nun eine Ausdehnung, in der sich seine Leidenschaft entwickeln kann und gegen deren Länge und Leere seine Ungeduld sich ohnmächtig aufbäumt. Er findet sich auf einmal seinem gewöhnlichen Leben entfremdet, zu allen Geschäften und Gesprächen untauglich. Nun erst ist er entflammt, wie sie es gewesen war, nun erst hat seine Leidenschaft die ihre eingeholt, scheint der ihren gleich und würdig geworden, nun erst, nachdem es unwiderbringlich zu spät ist. Er wird das Versagen erst seines Gefühls und dann seines Vertrauens nie wieder gutmachen können.

Denn wenn seine Ungeduld ihn treibt, sie gleich am nächsten Abend aufzusuchen, nur um sie zu sehen, vielleicht ihr ein paar Worte sagen zu können, findet er sich schwer und rätselhaft enttäuscht. Der Laden ist – anders als sonst – geschlossen und offenbar verlassen, und was er später durch den Spalt der Fensterläden zu sehen bekommt, ist etwas Unvermutetes, Erkältendes und Verwirrendes.

Die Gestalt des Mannes der Krämerin ist die schönste der Erfindungen, durch die Hofmannsthal den überlieferten Stoff bereichert hat. Sie stellt sich, wie die junge Frau in der Liebesnacht, nur in der stummen Pantomime dar. Aber diesmal ist der Zuschauer ein heimlicher, indiskreter und unbemerkter Belauscher, und damit zugleich ein ungebetener Eindringling in die Einsamkeit eines Arglosen und ein ewig Ausgeschlossener.

Das ist also die Welt, aus der die geliebte Frau zu ihm gekommen ist und in der sie sich irgendwo im Hintergrunde aufhalten muß, eine gepflegte und geordnete Welt, anders als das anrüchige Haus, in das er sie geladen hat, anders auch als der zerstörte Raum, in dem er sie wiederfinden wird. Und das ist der Mann, dem er sie entwendet hat. Wenn Bassompierre sich bisher ein Bild von ihm zu machen versucht hatte, hatte er sich bequemerweise eine gleichgültige und keiner Beachtung würdige Person vorgestellt. Nun muß er in seinem Nebenbuhler einen schönen, edlen, ja hoheitsvollen Mann erkennen, der ihn, wie er zugeben muß, an körperlicher Statur überragt und dessen Vornehmheit durch einen Schatten von Einsamkeit und Trauer noch erhöht wird. Wer ist dieser Mann, den seine Geliebte um seinetwillen hintergangen hat? Was ist er für sie? Was ist sie für ihn? Hat er keine Macht, sie zu halten? Hat sie keine Scheu, ihn zu kränken? Was weiß er von ihr und ihrer Heimlichkeit? Warum läßt sie ihn jetzt allein? Ist sie es, mit der er seine so stumme wie eindringliche Rede führt? Und worüber? Hat das alles etwas zu tun mit seiner Einsamkeit und Trauer?

Vielleicht, wenn wir die Antwort auf diese Fragen wüßten, hätten wir auch den Schlüssel zu dem Geheimnis der Krämerin. Ist sie eine von den jungen Frauen in Hofmannsthals Werk mit dem unbehüteten Herzen und der schweifenden Phantasie, die mit Männern verheiratet sind, die ihnen nicht zu genügen verstehen, wie die Frau des Schmieds in der »Idylle« oder die junge Sobeide in der »Hochzeit der Sobeide« oder Dianora in der »Frau im Fenster« oder die Frau des Teppichhändlers im »Goldenen Apfel« und die aus der Enge der Ehe flüchten und, einmal aus der Bahn geraten, den Weg nicht mehr zurückfinden und einen Tod erleiden, der einmal Enttäuschung, einmal Erfüllung ist?

Die Geheimnisse werden von nun an nur noch vermehrt, nicht mehr gelöst. Der Mann bleibt groß und fremd und nichts bleibt uns von ihm zu sagen als dieses, und die Wut und Eifersucht des von seiner Leidenschaft verzehrten Belauschers vermag den Eindruck nicht zu übertönen, den diese Begegnung auf ihn gemacht hat.

Nur ein Rätsel wird bald eine erschreckende Lösung erhalten, die finstere Aufmerksamkeit, die der Unbekannte seinen Fingernägeln schenkt, mit der er sie zu genauerer Untersuchung an das Licht bringt, um dieses dann stumm zu löschen. Schon zu Anfang war von der Pest die Rede gewesen, die in der Stadt umgeht. Das Haus, in das der Marschall seine Geliebte geladen hatte, war von seinem umsichtigen Diener als gefährlicher Anstekkungsherd gefürchtet worden. Aber der Marschall hatte dessen wenig geachtet, und so findet er auch die Gespräche, die er am Tage nach der Begegnung mit dem fremden Mann anhören muß, über das schnelle Verscharren der Leichen und die Strohfeuer, die man in den verpesteten Zimmer anzünden müsse, nichts als albern und besonders albern die Ängstlichkeit, mit der der dicke und dumme Kanonikus nicht aufhören kann, seine Fingernägel auf Anzeichen der furchtbaren Krankheit zu untersuchen. Der Erzähler, benommen von seiner Ungeduld, findet das nur widerwärtig, er überhört die Warnung und versäumt, sich zu erinnern.

Es wird ihm nicht bewußt, daß damit die Erscheinung des fremden Mannes in ein ganz anderes Licht rücken könnte. Seine Trauer und seine Einsamkeit, – waren es die des betrogenen Ehemannes oder vielmehr die des Todgeweihten oder gar die des Mannes einer Erkrankten? (Denn wo war sie und warum war, wider alle Gewohnheit, der Laden geschlossen?) Auch dies bleibt unbekannt, und was am Ende offenbar wird, ist nur, daß das Schicksal der jungen Frau mit dem ihres Mannes bis in den Tod verstrickt bleibt. Aber auch davon rührt den Erzähler noch nicht die leiseste Ahnung an und darum wird ihm auch nicht bewußt, wie weit der Abstand ist zwischen ihm, der der Illusion einer Liebesnacht entgegenfiebert, und jenem, der mit hochmütiger Gelassenheit dem Tode entgegensieht.

Ahnungslos begibt er sich endlich zu dem verabredeten Stelldichein. Der Widerspruch zwischen seiner Illusion und der schrecklichen Wirklichkeit wird bis aufs äußerste gesteigert. Seine Phantasie malt ihm die wartende Geliebte aus, und jedes Hindernis und jede Verzögerung steigert nur die Hitzigkeit seiner Erwartung. Was ihm zur Warnung dienen könnte, entkräftet er durch eine falsche Auslegung, und der lodernde Schein im Fenster vollendet seine Verblendung. Er sieht nur das Feuer der Liebesnacht und die Gestalt der Geliebten wie beim vergangenen Mal. Zum erstenmal läßt er bedenkenlos alle Vorsicht fahren, und mit der Unbedingtheit und dem Todesmut, mit dem sie zu ihm gekommen ist, ist er bereit, sein Leben einzusetzen, um sie zu entführen. Auf dem höchsten Grad der Leidenschaft angelangt und im höchsten Grad des Wahns, sprengt er die Türe, die ihn von ihr allein noch zu trennen scheint.

Auf die Spitze dieses einen Augenblicks war schon die alte Erzählung getrieben gewesen, auf die Spitze dieses Widerspruchs zwischen schönem Wahn und entsetzlicher Wirklichkeit und des Umschlags von hitzigem Verlangen zu kaltem Entsetzen. Kein Wort erfahren wir von nun an von dem, was der Erzähler denkt oder fühlt, nur von dem was er sieht und tut.

Er sieht, eine makabre Parodie der Liebesnacht, die er erwartete, zwei nackte Leichname, beleuchtet von dem Feuer verpesteten Bettstrohs, nebeneinander auf dem Tisch ausgestreckt, den Mann und die Frau im Tode wieder vereint. Er sieht es schaudernd, aber ohne Bedauern. Wie seine Leidenschaft, so ist seine Eifersucht jäh erloschen.

Der einzige Blick hat genügt, ihn in panische Flucht zu jagen. Der Degen, den er verwenden wollte, um die Geliebte zu befreien, dient ihm, um sich die Gehilfen des Todes vom Leib zu halten. Die Vergiftung spült er von sich ab mit drei oder vier Gläsern Wein – nach der Quelle ein »Mittel gegen die pestilenzialischen Einflüsse« – und entkommt mit heiler Haut, um weiterzuleben und später davon zu erzählen.

Die Zeichen haben sich fürchterlich verkehrt. Das Liebesgemach hat sich in eine Todeskammer verwandelt und statt des Liebesbrands findet er brennendes Bettstroh, und wenn wieder zwei nackte Körper auf dem Lager ausgestreckt liegen, mit denen die Schatten an der Wand ihr Spiel treiben, dann sind es zwei Tote und nicht zwei Liebende, und nur die beiden Totengräber, denen er auf der Flucht ins Freie begegnet, mit der Laterne und dem »ächzenden, knirschenden Karren« sind die gleichen, die auch schon vorüberzogen, als am Morgen nach der Liebesnacht der Tag heraufkam, und vor denen die junge Frau zusammenschrak.

Sollen wir uns außer der symbolischen Verknüpfung von Liebe und Tod auch noch eine kausale denken? Sollen wir annehmen, daß sich die Krämerin in der Liebesnacht in dem schlechten Hause den Tod geholt hat, und daß sie damit für ihre Liebe ihr Leben aufs Spiel gesetzt und mit dem Tode gebüßt hat? Und daß der Marschall nur durch ein Wunder der gleichen Gefahr entkommen ist? Oder hat sie den Pestkeim schon vorher in sich getragen, und war die Hemmungslosigkeit ihrer Hingabe schon eine Wirkung davon und ein Zeichen dafür, daß ihr Leben schon aus seinen gewöhnlichen Ufern getreten ist? (So wie an vielen Stellen im Werk des jungen Hofmannsthal, vom »Tod des Tizian« bis zur »Adriadne«, das Leben aufrauscht in der Nähe des Todes?) Oder wäre in ihrer Leidenschaft überhaupt schon die Lust am Untergang verborgen gewesen?

Dann allerdings wäre der entsetzliche Widerspruch zwischen ihrer Liebe und ihrem Tode aufgehoben. Ob sie mit ihrer Liebe den Tod herausgefordert hat oder ob der Tod sie zu ihrer Liebe ermächtigt hat, er wäre kein zu hoher Preis. Denn Tod und Liebe sind im Werk des jungen Hofmannsthal keine Feinde, sondern tief verwandt. Aber dieser Tod ist kein Liebestod und überhaupt kein schöner, sondern ein schrecklicher Tod. Ist er also eine Strafe für einen Fehltritt, wie der Tod des Wachtmeisters?

Aber selbst diese Fragen sind schon Deutungen. Denn sie

setzen vieles als sicher voraus, was wir nicht sicher wissen, weil es noch nicht einmal unser einziger Gewährsmann, der Erzähler, weiß. Der Dichter ergreift ja nicht selbst das Wort, um seine Geschichte zu erzählen, sondern er schiebt einen Berichterstatter vor. Er läßt, im Einklang mit seiner Vorlage, Bassompierre erzählen, nicht weniger, als er weiß, aber auch nicht mehr, als er wissen kann. Und was er wissen kann, ist nur, was er gesehen und was die Krämerin gesagt hat. Aber ist das, was er sieht, auch was sie ist, und was sie sagt, das, was sie denkt?

Der Bassompierre der Memoiren enthält sich jeder Stellungnahme, bei Goethe wird die Frage erörtert. Wenn jemand Zweifel vorbrächte, wären sie nicht zu widerlegen. Wir wissen von der Krämerin nichts, als was der Marschall in einer berauschten Nacht mit ihr und von ihr erfährt, und was er später in einer zweiten Nacht für einen Augenblick, bei unsicherem Licht und in einer Verfassung sieht, in der er nicht geeignet ist, nüchtern zu prüfen. Sind die beiden Gestalten, die er auf dem Tisch aufgebahrt sieht, wirklich der Krämer und die Krämerin? Wenn ja, wie kommt es, daß sie in einem Hause gestorben sind, das nicht das ihre ist? Die eine Gestalt scheint der Statur nach dem Manne zu gleichen, den er in jener Nacht im Hause der Krämerin gesehen hat, aber ist er darum der Mann der Frau, die seine Geliebte war? Und diese selbst? Ist ihr zu glauben, daß sie sich nur dieses eine Mal in ihrem Leben einem fremden Manne gab? Was ist von ihrem Schwur zu halten, wenn die Selbstverwünschung so pünktlich eintritt? Aber eine solche Frage setzt ja wiederum voraus, daß sie wirklich die Tote ist. So bewegt sich der Zweifel im Kreise.

Der Erzähler selbst hat zur Aufklärung nichts beizutragen. Er hat es im Augenblick viel zu eilig gehabt, um sich mit Erkundigungen aufzuhalten, und als er nach einem halben Jahre nach Paris zurückgekehrt ist, ist die Gelegenheit verpaßt. Es bleibt ihm nichts anderes, als sein Erlebnis zu erzählen, wie er es erlebt hat, und Hofmannsthal hat es mit seiner Quelle dem Leser überlassen, zu entscheiden, ob er für das Handeln der Krämerin eine edle oder eine frivole Erklärung und für ihr Schicksal eine tragische oder eine banale Erklärung vorzieht. So sind schon die Tatsachen und nicht erst ihre Deutung in Unsicherheit getaucht.

Anders war es in der »Reitergeschichte« gewesen. Hier war der Zusammenhang der äußeren Tatsachen lückenlos klar gewesen und nur ihr Sinn war ein Rätsel gewesen. Im »Erlebnis des Marschalls von Bassompierre« bieten sich umgekehrt die Deutungen in Fülle an, nur die Tatsachen, auf denen sie beruhen sollten, verlieren sich immer tiefer ins Geheimnis. Aber in beiden Erzählungen werden die gleichen Fragen erprobt. Auch im »Bassompierre« handelt es sich um eine zweimalige Begegnung mit der Nachtseite des Lebens, schön und verlockend die eine, grausig und erschreckend die andere, und doch beide geheimnisvoll und unausweichlich miteinander verknüpft. Und – entschieden wir uns für die tragische Lösung des Rätsels der Bassompierre-Geschichte – dann würden beide, der Wachtmeister und die Krämerin, so verschieden sie sind, aus ihrer Bahn gelockt und in ein dunkles Verhängnis verwickelt, trivial und dumpf der eine, groß und willentlich die andere, und beide würden sie von einem Tod ergriffen, der kein schöner Tod ist und der in einem erschreckenden Widerspruch steht zu dem geordneten Leben, das sie geführt haben. Und eben dieser Widerspruch ist es, an dem die beiden Erzählungen uns zu rätseln und vor dem sie uns zu schaudern aufgeben.

Richard Alewyn

Biographische Notiz

HUGO VON HOFMANNSTHAL hat kein äußerlich wechsel-
reiches Leben geführt. 1874 in Wien geboren, hat er sich
nach seiner Heirat im Jahre 1901 eine Lokalbahnfahrt
entfernt in Rodaun in einem Schlößchen aus der maria-
theresianischen Zeit niedergelassen und ist dort 1929
gestorben. Er hat sich außer zu zahlreichen Reisen, zu
regelmäßigen Sommeraufenthalten in den Bergen und
zur Ableistung seiner militärischen Dienstpflicht nicht
aus der Nähe der Hauptstadt des alten Kaiserreichs entfernt, dessen größter Dichter er war. Wie in diesem Reich,
so mischte sich auch in ihm das Blut vieler Stämme öster-
reichischer Bauern, jüdischer Kaufleute und lombardi-
scher Patrizier. Nicht anders ist die Vielfalt seines Werks,
zu der alle Zeiten und Zonen der abendländischen Kultur
Stoffe, Formen und Farben beigetragen haben.
Schon auf der Schulbank begann Hofmannsthal zu dichten. Zwischen seinem siebzehnten und seinem fünfundzwanzigsten Jahre entstanden die zwei oder drei Dutzend
Gedichte und die neun lyrischen Dramen, die in deutscher
Sprache nicht ihresgleichen haben, daneben eine Prosa,
die die Literatur der europäischen Moderne spiegelte und
kritisch durchleuchtete. Das neue Jahrhundert bringt eine
Wendung. Hofmannsthal erschließt sich die große Tragödie, er macht sich die überlieferten dichterischen Stoffe
der Antike, des Mittelalters und des Barock zu eigen, er
wirbt in Zusammenarbeit mit Max Reinhardt und mit

Richard Strauss um die lebendige Bühne. Bald nach der Reihe der Opern beginnt die der Komödien, daneben die Erzählungen, darunter der »Andreas« (seit 1907), und die klassische Epoche der essayistischen Prosa.

Der Ausbruch des ersten Weltkriegs wirft Hofmannsthal auf Umwelt und Ursprung zurück. Er deutet das geistige Erbe und die europäische Sendung Österreichs und erneuert beide durch die Begründung der Salzburger Festspiele. Wie schon im »Rosenkavalier« und im »Andreas« so gestaltet er im »Schwierigen«, im »Unbestechlichen« und in der »Arabella« österreichische Menschen. Aber er gibt auch die Erschütterung der Zeit wieder: im »Großen Welttheater« die soziale Umwälzung, im »Turm« die bevorstehenden noch mehr als die vergangenen Katastrophen. Der Tod riß den Dichter aus Plänen, von deren Reichtum der noch kaum ausgeschöpfte Nachlaß Zeugnis geben wird.

Bibliographische Hinweise

Werke

Gesammelte Werke in Einzelausgaben, hrsg. von Herbert Steiner. 15 Bde. Frankfurt a. M. 1945–1959.

Ausgewählte Werke, hrsg. von Rudolf Hirsch. 2 Bde. Frankfurt a. M. 1957.

Sämtliche Werke

Kritische Ausgabe in 38 Bänden, veranstaltet vom Freien Deutschen Hochstift, Frankfurt a. M. Hrsg. v. Heinz Otto Burger, Rudolf Hirsch, Detlev Lüders, Heinz Rölleke, Ernst Zinn.

Bd. XIV. Dramen 12, hrsg. v. Jürgen Fackert. Frankfurt a. M. 1976.

Bd. XXVI. Operndichtungen 4, hrsg. v. Hans-Albrecht Koch. Frankfurt a. M. 1976.

Bd. XXVIII. Erzählungen 1, hrsg. v. Ellen Ritter. Frankfurt a. M. 1976.

Briefe

Briefe 1890–1901. Berlin 1935.

Briefe 1900–1909. Wien 1937.

H. v. H. – Leopold v. Andrian. Briefwechsel, hrsg. von Walter H. Perl. Frankfurt a. M. 1968.

H. v. H. – Richard Beer-Hofmann. Briefwechsel, hrsg. von Eugene Weber. Frankfurt a. M. 1972.

H. v. H. – Eberhard v. Bodenhausen. Briefe der Freundschaft, hrsg. von Dora v. Bodenhausen. Düsseldorf 1953.

H. v. H. – Rudolf Borchardt. Briefwechsel, hrsg. von Marie Luise Borchardt und Herbert Steiner. Frankfurt a. M. 1954.

H. v. H. – Carl J. Burckhardt. Briefwechsel, hrsg. von Carl J. Burckhardt. Frankfurt a. M. 1956.

H. v. H. – Edgar Karg von Bebenburg. Briefwechsel, hrsg. von Mary E. Gilbert. Frankfurt a. M. 1966.

H. v. H. – Harry Graf Kessler. Briefwechsel 1898–1929, hrsg. von Hilde Burger. Frankfurt a. M. 1968.

H. v. H. – Helene von Nostiz. Briefwechsel, hrsg. von
Oswalt v. Nostiz. Frankfurt a. M. 1965.

H. v. H. – Josef Redlich. Briefwechsel, hrsg. von Helga
Fußgänger. Frankfurt a. M. 1971.

H. v. H. – Arthur Schnitzler. Briefwechsel, hrsg. von
Therese Nickl und Heinrich Schnitzler. Frankfurt a. M.
1964.

H. v. H. und Richard Strauß. Der Rosenkavalier. Fassun-
gen, Filmszenarium.

Briefe, hrsg. von Willi Schuh. Frankfurt a. M. 1971.

Briefwechsel zwischen Stefan George und H. v. H.,
hrsg. von Robert Boehringer. 2. Aufl. Düsseldorf
1953.

Richard Strauß und H. v. H. Briefwechsel. 2. erw. Aufl.
Zürich 1954.

Literatur

Rudolf Borchardt. Prosa I, II, III. Stuttgart 1957, 1959,
1960. –, Reden. Stuttgart o. J. (Reden und Aufsätze
aus den Jahren 1902–1929).

Grete Schaeder, Hugo von Hofmannsthal. Die Gestalten.
Berlin 1933.

Karl J. Naef, Hugo von Hofmannsthals Wesen und Werk.
Zürich und Leipzig 1938 (mit Bibliographie von Herbert Steiner).

Richard Alewyn, Über Hugo von Hofmannsthal. 2. Aufl.
Göttingen 1960.

Edgar Hederer, Hugo von Hofmannsthal. Frankfurt a. M.
1960.

Zu den Novellen

Mary E. Gilbert, Some Observations on Hofmannsthals
two »Novellen«. ›German Life and Letters‹ XI, 1958,
S. 102–111.

Manfred Schuricht, Die frühen Erzählungen Hugo von

Hofmannsthals. ›Germanisch-Romanische Monats-schrift‹ 46 (Neue Folge 15), 1965, S. 275–292.

Reitergeschichte

Reitergeschichte. 1898. Erstdruck: ›Neue Freie Presse‹, Wien, 25. Dezember 1899. Erste Buchausgabe: ›Das Märchen der 672. Nacht und andere Erzählungen‹. Wiener Verlag 1905.

Zur ›Reitergeschichte‹

H. U. Voser, Über Hugo von Hofmannsthals Reiter-geschichte. ›Neue Zürcher Zeitung‹, 3. September 1953.

Benno von Wiese, Die deutsche Novelle von Goethe bis Kafka. Düsseldorf 1954, S. 284–303.

Mary E. Gilbert, Hugo von Hofmannsthal ›Reiter-geschichte‹. ›Der Deutschunterricht‹ 8, 1956, S. 101 bis 112.

Werner Zimmermann, Deutsche Prosadichtung der Ge-genwart. Neue Ausgabe, Bd. I., Düsseldorf 1956, S. 130–144.

Richard de Haay, Zur Interpretation von Hofmannsthals Reitergeschichte. ›Duitse kroniek‹ 17, 1965, Nr. 2, S. 44 bis 62.

Gotthart Wunberg, Erblicken des Doppelgängers: Reiter-geschichte. In: Der frühe Hofmannsthal. Schizophrenie als dichterische Struktur. Stuttgart 1965.

Gerhard Träbing, Hugo von Hofmannsthals Reiter-geschichte. Beitrag zu einer Phänomenologie der deutschen Augenblicksgeschichte.
›Deutsche Vierteljahrsschrift für Literaturwissenschaft und Geistesgeschichte‹ 43, 1969, S. 707–725.

Michael Lakin, Hofmannsthals Reitergeschichte und Kafka's Landarzt. ›Modern Austrian Literature‹ 3, 1970, Nr. 1, S. 39–50.

Rolf Tarot, Reitergeschichte. In: Hugo von Hofmannsthal. Daseinsformen und dichterische Struktur. Tübingen 1970, S. 332–353.

Ulrich Heimrath, Hugo von Hofmannsthals Reitergeschichte. ›Wirkendes Wort‹ 21, 1971, Nr. 5, S. 313 bis 318.

Volker O. Durr, Der Tod des Wachtmeisters Anton Lerch und die Revolution von 1848. Zu Hofmannsthals Reitergeschichte. ›German Quarterly‹ vol. XLV, 1972, Nr. 1, S. 33–46.

Das Erlebnis des Marschalls von Bassompierre

Das Erlebnis des Marschalls von Bassompierre. Datiert: ›22.–24. April 1900‹. Erstdruck: ›Die Zeit‹, Wien, 24. November und 1. Dezember 1900. Erste Buchausgabe: ›Das Märchen der 672. Nacht und andere Erzählungen‹. Wiener Verlag 1905.

Zum ›Bassompierre‹

Werner Kraft, Von Bassompierre zu Hofmannsthal. 1935. Jetzt in: ›Wort und Gedanke‹, Bern und München 1959, S. 132–172.

Hilde Cohn, Das Erlebnis des Marschalls von Bassompierre. ›Germanic Review‹ XVIII, 1943, S. 58–70.

Johannes Pfeiffer, Wege zur Erzählkunst. Hamburg 1953, S. 63–74.

Das Märchen der 672. Nacht

Das Märchen der 672. Nacht. 1895. Ursprünglicher Untertitel: ›Die Geschichte des Kaufmannssohns und seiner vier Diener‹. Erstdruck: ›Die Zeit‹, Wien, 2., 9., 16. November 1895. Erste Buchausgabe: ›Das Märchen der 672. Nacht und andere Erzählungen‹. Wiener Verlag 1905.

Zum ›Märchen‹

Ludwig Sternaux, Das Märchen der 672. Nacht. ›Tag‹, 1. Juli 1920, Nr. 142.

Marcel Brion, Essai d'interprétation des symboles dans le »Märchen der 672. Nacht« de Hugo von Hofmannsthal. ›Dauer im Wandel‹. Festschrift zum 70. Geburtstag von Carl J. Burckhardt. München 1961, S. 84–101. (Deutsch in: Interpretationen, hrsg. von Jost Schillemeit. Bd. 4: Deutsche Erzählungen von Wieland bis Kafka. Frankfurt und Hamburg 1966, S. 284–302.)

J. D. Workman, Hofmannsthals Märchen der 672. Nacht. ›Monatshefte‹ LIII, 6, 1961, S. 304–314.

Hans-Jürgen Schings, Allegorie des Lebens. Zum Formproblem von Hofmannsthals »Märchen der 672. Nacht«. ›Zeitschrift für Deutsche Philologie‹ 86, 1967, S. 533 bis 561.

Uwe Böker, Hugo von Hofmannsthals »Märchen der 672. Nacht«. ›Archiv für das Studium der Neueren Sprachen und Literaturen‹ 121, 1969/70, Bd. 206, Nr. 1, S. 16–38.

Karoly Csuri, Struktur und Bedeutung von Hugo von Hofmannsthals »Das Märchen der 672. Nacht« (Versuch einer Interpretation). ›Acta Germanica Romanica‹ 4, 1969, S. 39–63.

Bibliographie

Karl Jacoby, Hugo von Hofmannsthal-Bibliographie. Berlin 1936.

HUGO VON HOFMANNSTHAL
BRIEFWECHSEL

Hugo von Hofmannsthal – Leopold von Andrian
Herausgegeben von Walter H. Perl
1968. 527 Seiten. Leinen

Hugo von Hofmannsthal – Richard Beer-Hofmann
Herausgegeben von Eugene Weber
1972. XXIII, 264 Seiten. Leinen

Hugo von Hofmannsthal – Ottonie Gräfin Degenfeld
Herausgegeben von Marie Thérèse Miller-Degenfeld
unter Mitwirkung von Eugene Weber
Eingeleitet von Theodora von der Mühll
Ergänzt durch den Briefwechsel
Julie von Wendelstadt
Hugo von Hofmannsthal
Zweite, ergänzte und erweiterte Auflage
658 Seiten. Leinen

Hugo von Hofmannsthal – Edgar Karg von Bebenburg
Herausgegeben von Mary E. Gilbert
1966. 255 Seiten. Leinen

Hugo von Hofmannsthal – Josef Redlich
Herausgegeben von Helga Fußgänger
1971. XVI, 261 Seiten. Leinen

S. FISCHER VERLAG

HUGO VON HOFMANNSTHAL

GESAMMELTE WERKE
IN ZEHN EINZELBÄNDEN

Herausgegeben von Bernd Schoeller
in Beratung mit Rudolf Hirsch

FISCHER TASCHENBUCH VERLAG

Arthur Schnitzler

Gesammelte Werke
in Einzelausgaben

Das erzählerische Werk

Band 1
**Die Frau des Weisen
und andere Erzählungen**
Band 1960

Band 3
**Doktor Gräsler, Badearzt
und andere Erzählungen**
Band 1962

Band 5
**Casanovas Heimfahrt
und andere Erzählungen**
Band 1964

Band 6
**Traumnovelle und
andere Erzählungen**
Band 1965

Band 7
**Therese, Chronik
eines Frauenlebens**
Band 1966

Das dramatische Werk

Band 1
**Liebelei und
andere Dramen**
Band 1967

Band 2
**Reigen und
andere Dramen**
Band 1968

Band 3
**Der grüne Kakadu
und andere Dramen**
Band 1969

Band 4
**Der einsame Weg
und andere Dramen**
Band 1970

Band 5
**Komtesse Mizzi
und andere Dramen**
Band 1971

Band 6
**Professor Bernhardi
und andere Dramen**
Band 1972

Band 7
**Fink und Fliederbusch
und andere Dramen**
Band 1973

Band 8
**Komödie der Verführung
und andere Dramen**
Band 1974

Fischer Taschenbuch Verlag

Arthur Schnitzler

Band 9407   Band 9408   Band 9403

**Casanovas
Heimfahrt**
Erzählungen
Band 1343

**Der blinde
Geronimo und
sein Bruder**
Erzählungen
1900-1907
Band 9404

**Doktor Gräsler,
Badearzt**
Erzählung 1914
Band 9407

**Flucht in die
Finsternis**
Erzählungen 1917
Band 9408

**Frau
Berta Garlan**
Erzählungen
1899-1900
Band 9403

**Fräulein Else
und andere
Erzählungen**
Band 9102

Die Hirtenflöte
Erzählungen
1909-1912
Band 9406

Jugend in Wien
Eine Autobiographie
Band 2068

Reigen/Liebelei
Vorwort von
Günther Rühle
Nachwort von
Richard Alewyn
Band 7009

**Der Sekundant
und andere
Erzählungen**
Band 9100

**Spiel im
Morgengrauen**
Erzählung
Band 9101

Der Weg ins Freie
Roman 1908
Band 9405

Fischer Taschenbuch Verlag

fi 297/5

Arthur Schnitzler
Jugend in Wien

Eine Autobiographie

Herausgegeben von Therese Nickl und Heinrich Schnitzler

Arthur Schnitzler war bereits über fünfzig und auf der Höhe seines Lebens und seines Ruhmes, als er zwischen 1915 und 1920 die Aufzeichnungen seiner Jugend in Wien niederschrieb. Der Lebensbericht, den Schnitzler bis zum Jahre 1900 fortzuführen plante, endet 1889, als Schnitzler Assistenzarzt seines Vaters an der Wiener Poliklinik und dabei war, seinen Weg zur Literatur zu finden. Arthur Schnitzler berichtet sehr aufrichtig von seiner Kindheit, von den Jugend- und Studienjahren in Wien, von dem Leben eines jungen Mannes aus großbürgerlichem Haus, von seinen Freundschaften und Liebschaften, von seiner Konfrontation mit dem Arztberuf, von seiner Dienstzeit als Militärarzt, von Reisen nach Berlin und London, aber auch von der Weltanschauung und den politischen Ereignissen seiner Jugendzeit zwischen 1862 und 1889. Natürlich spricht er auch von seinen ersten schriftstellerischen Versuchen, aber mit dem distanzierten Humor des reifen Erzählers, den Alfred Kerr vor einem halben Jahrhundert den »österreichischen Maupassant« genannt hat und den Friedrich Torberg in seinem klu-

Band 2068

gen und verehrenden Nachwort heute mit Tschechow vergleicht. Aus den Begegnungen mit Freunden und geliebten Frauen ragt vor allem das Bild seiner späteren Gattin Olga Jussmann heraus, der er am Schluß des Bandes mit dem Bekenntnis tiefer Zuneigung ein zärtliches Denkmal setzt.

Fischer Taschenbuch Verlag

Franz Werfel

Das Lied von
Bernadette
Roman. Band 1621

Die Geschwister
von Neapel
Roman. Band 1806

Der Abituriententag
Roman. Band 1893

Der Tod
des Kleinbürgers
und andere Erzählungen
Band 2060

Verdi
Roman der Oper
Band 2061

Die vierzig Tage
des Musa Dagh
Roman. Band 9458

Stern der
Ungeborenen
Ein Reiseroman
Band 2063

Jeremias.
Höret die Stimme
Roman
Band 2064

Der veruntreute
Himmel
Geschichte
einer Magd
Roman
Band 5053

Nicht der Mörder,
der Ermordete
ist schuldig
und andere Erzählungen
Band 5054

Cella oder
Die Überwinder
Versuch eines Romans
Band 5706

Geheimnis
eines Menschen
Novelle
Band 9327

Barbara oder
Die Frömmigkeit
Band 9233

Die schwarze Messe
Erzählungen
Band 9450

Die tanzenden
Derwische
Erzählungen
Band 9451

Die Entfremdung
Erzählungen
Band 9452

Weißenstein,
der Weltverbesserer
Erzählungen
Band 9453

Jacobowsky
und der Oberst
Komödie einer
Tragödie
Band 7025

Fischer Taschenbuch Verlag

Stefan Zweig

Band 5790

Band 2282

Band 2300

Der Amokläufer
Erzählungen
Band 9239

**Ungeduld
des Herzens**
Roman. Band 1679

**Die Hochzeit
von Lyon**
*und andere
Erzählungen
Band 2281*

**Verwirrung
der Gefühle**
*und andere
Erzählungen
Band 5790*

**Phantastische
Nacht**
*und andere
Erzählungen
Band 5703*

**Rausch
der Verwandlung**
Band 5874

Schachnovelle
Band 1522

**Sternstunden
der Menschheit**
*Zwölf historische
Miniaturen
Band 595*

Europäisches Erbe
Band 2284

**Menschen
und Schicksale**
Band 2285

**Länder, Städte,
Landschaften**
Band 2286

Drei Meister
*Balzac · Dickens ·
Dostojewski
Band 2289*

**Der Kampf
mit dem Dämon**
*Hölderlin · Kleist ·
Nietzsche
Band 2282*

**Drei Dichter
ihres Lebens**
*Casanova · Stendhal ·
Tolstoi
Band 2290*

**Die Heilung
durch den Geist**
*Mesmer ·
Mary Baker-Eddy ·
Freud
Band 2300*

**Das Geheimnis
des künstlerischen
Schaffens**
Band 2288

Fischer Taschenbuch Verlag

fi 191 / 8 a

Stefan Zweig

Band 9240

Band 2279

Band 1915

**Begegnungen
mit Büchern**
*Aufsätze und
Einleitungen aus den
Jahren 1902-1939*
Band 2292

Briefe an Freunde
Band 5362

**Über
Sigmund Freud**
*Porträt · Briefwechsel ·
Gedenkworte*
Band 9240

**Stefan Zweig –
Friderike Zweig
Unrast der Liebe**
Band 5366

Tagebücher
Band 9238

Amerigo
*Die Geschichte
eines historischen
Irrtums*
Band 9241

**Magellan
Der Mann
und seine Tat**
Band 5356

**Triumph
und Tragik
des Erasmus von
Rotterdam**
Band 2279

Maria Stuart
Band 1714

Marie Antoinette
Band 2220

Joseph Fouché
Band 1915

Balzac
Eine Biographie
Band 2183

**Ein Gewissen
gegen die Gewalt**
*Castellio gegen
Calvin*
Band 2295

**Die Welt
von Gestern**
*Erinnerungen
eines Europäers*
Band 1152

**Ben Jonsons
»Volpone«**
Band 2293

**Die schlaf-
lose Welt**
*Aufsätze und
Vorträge aus den
Jahren 1909-1941*
Band 10165
in Vorbereitung

Fischer Taschenbuch Verlag

fi 191/3 b

Erzähler-Bibliothek

Jerzy Andrzejewski
Die Pforten des
Paradieses
Band 9330

Hermann Burger
Die Wasserfall-
finsternis von
Badgastein
*und andere
Erzählungen*
Band 9335

Joseph Conrad
Jugend
Ein Bericht
Band 9334

Die Rückkehr
Erzählung
Band 9309

Tibor Déry
Die portugiesische
Königstochter
Zwei Erzählungen
Band 9310

Fjodor M. Dostojewski
Traum eines lächer-
lichen Menschen
*Eine phantastische
Erzählung*
Band 9304

Ludwig Harig
Der kleine Brixius
Eine Novelle
Band 9313

Abraham B. Jehoschua
Frühsommer 1970
Erzählung
Band 9326

Franz Kafka
Ein Bericht
für eine Akademie/
Forschungen
eines Hundes
Erzählungen
Band 9303

George Langelaan
Die Fliege
*Eine phantastische
Erzählung*
Band 9314

D.H.Lawrence
Die Frau, die davonritt
Erzählung
Band 9324

Thomas Mann
Mario und
der Zauberer
*Ein tragisches
Reiseerlebnis*
Band 9320

Die vertauschten Köpfe
Eine indische Legende
Band 9305

Daphne Du Maurier
Der Apfelbaum
Erzählungen
Band 9307

Fischer Taschenbuch Verlag

fi 669/6a

Erzähler–Bibliothek

Herman Melville
Bartleby
Erzählung
Band 9302

Arthur Miller
Die Nacht
des Monteurs
Erzählung
Band 9332

Franz Nabl
Die Augen
Erzählung
Band 9329

Vladimir Pozner
Die Verzauberten
Roman
Band 9301

Peter Rühmkorf
Auf Wiedersehen
in Kenilworth
Ein Märchen in
dreizehn Kapiteln
Band 9333

William Saroyan
Traceys Tiger
Roman
Band 9325

Antoine
de Saint-Exupéry
Nachtflug
Roman
Band 9316

Arthur Schnitzler
Frau Beate
und ihr Sohn
Eine Novelle
Band 9318

Anna Seghers
Wiedereinführung
der Sklaverei
in Guadeloupe
Band 9321

Mark Twain
Der Mann,
der Hadleyburg
korrumpierte
Band 9317

Franz Werfel
Geheimnis
eines Menschen
Novelle
Band 9327

Carl Zuckmayer
Der Seelenbräu
Erzählung
Band 9306

Stefan Zweig
Brennendes Geheimnis
Erzählung
Band 9311

Brief einer
Unbekannten
Erzählung
Band 9323

Fischer Taschenbuch Verlag

fi 669 / 1b

Carl J. Burckhardt
Briefe
1908 – 1974

*Herausgegeben vom Kuratorium Carl J. Burckhardt
mit Unterstützung des Schweizerischen Nationalfonds
zur Förderung der wissenschaftlichen Forschung*

Besorgt von Ingrid Metzger-Buddenberg
828 Seiten. Leinen

Werden und Entfaltung eines großen Europäers, gespiegelt und erklärt in Briefen voller Einsichten und Voraussichten, voller Kultur. Vielzählig die Briefpartner und die Themen. Der Historiker spricht und der Politiker, und immer spricht der künstlerische Mensch, in dessen Leben und Wirken Hang und Fähigkeit zu dichten sich kreuzen mit der Notwendigkeit, zu erkennen, und dem Auftrag, zu handeln. Der Historiker, der politische Schriftsteller hat seine Meinung, gespeist aus Welterfahrung; es treibt ihn zu einer Aufnahme des Lebens, die sich umsetzt in genuines Erzählen. C. J. Burckhardt spricht sich den Partnern gegenüber aus:

Hans Urs von Balthasar
Ernst Robert Curtius
Werner Heisenberg
Hermann Hesse
Hugo von Hofmannsthal
Ernst Jünger
Karl Kerényi
Oskar Kokoschka
Rudolf Alexander Schröder

Die Sympathien sind weit und auch tief, bei aller Lebensgewandtheit ist der Freimut beeindruckend.

S. Fischer